鋼の錬金術師

FULLMETAL ALCHEMIST

13

荒川弘《あらかわひろむ》

アルフォンス・エルリック
Alphonse Elric

エドワード・エルリック
Edward Elric

アレックス・ルイ・アームストロング
Alex Louis Armstrong

ロイ・マスタング
Roy Mustang

OUTLINE
FULLMETAL ALCHEMIST

エドワードとアルフォンスの兄弟《きょうだい》は、
幼《おさな》き日《ひ》に喪《うしな》った母《はは》を錬金術《れんきんじゅつ》により蘇《よみがえ》らせようと試《こころ》みる。
しかし、錬成《れんせい》は失敗《しっぱい》しエドワードは
左足《ひだりあし》と弟《おとうと》のアルフォンスを失《うしな》ってしまう。
なんとか自分《じぶん》の右腕《みぎうで》を代償《だいしょう》にアルフォンスの魂《たましい》を錬成《れんせい》し、
鎧《よろい》に定着《ていちゃく》させる事《こと》に成功《せいこう》するが
その代償《だいしょう》はあまりにも高《たか》すぎた。
そして兄弟《きょうだい》はすべてを取《と》り戻《もど》す事《こと》を誓《ちか》うのだった…。

鋼の錬金術師
FULLMETAL ALCHEMIST

CHARACTER
FULLMETAL ALCHEMIST

ウィンリィ・ロックベル

Winry Rockbell

スカー

Scar

グラトニー

Gluttony

キング・ブラッドレイ

King Bradley

リン・ヤオ

Lin Yao

メイ・チャン

May Chang

CONTENTS

やぁ
ゴキ
ゴキ
ゴキ
鋼《はがね》のおチビさんはお久《ひさ》しぶりだぁ!
ゴキン!
…どぁあ
るぇえ
があ…
へ?
ミジンコゾウリムシドチビか―――ッ!!!
おわっ!!?

第《だい》50話《わ》 腹《はら》の中《なか》

FULLMETAL
ALCHEMIST

ちょっと待《ま》ちなよ!!
おチビさんとやりあう気《き》は…
5回目《かいめ》ェ!!!
!?
なっ…なっ…
なんの話《はなし》だよ!!
さっきと今《いま》で2回《かい》!!
そして第五研究所《だいごけんきゅうじょ》の地下《ち か》でオレの事《こと》を3回《かい》チビって言《い》った!!
忘《わす》れたとは言《い》わせねェぞ!!
…すンごい記憶力《きおくりょく》…

ここで会《あ》ったが百年目《ひゃくねんめ》だぜエエエンヴィイイイ!!!
ぐえへへへへへへ
化物…
ドン
げ
挑発《ちょうはつ》しちゃダメだよ兄《にい》さん!!
ダン
ダ
!

血《ち》の気《け》多《おお》いなぁも〜〜〜
マスタングが!! ラストの敵《かたき》がいた!!
飲《の》む!! 飲《の》む!! 飲《の》んでやる!!
ぐるるるる
ふ ふ
ああ?
その辺《へん》にはいなかったぞ
もう逃《に》げたんじゃないのか?
それに大佐《あれ》は飲《の》んじゃダメだ
ぐす ぐす
ラスト… そんなぁ…
ラストの敵《かたき》なのに…
ぐずっ じゅる…
ふん…
まーた おまえか 糸目《いとめ》の
ドーモ
今日《きょう》は俺《おれ》に捕《つか》まりに来《き》てくれたのかナ?
残念《ざんねん》
こいつを迎《むか》えに来《き》ただけだよ

……と言《い》いたいところだけどおまえはぶっ殺《ころ》しとかないとね
グラトニー！
焔《ほのお》の大佐《たいさ》とエルリック兄弟《きょうだい》はダメだがあの糸目《いとめ》は飲《の》ませてやる
腹減《はらへ》ってるだろ？頭《あたま》からバックリいっちゃいな！
いいかい？くれぐれも兄弟《きょうだい》は飲《の》んじゃダメだ
あの糸目《いとめ》だけだぞ
うん！
…て事《こと》ハ……
おっとぉ？光明《こうみょう》が見《み》えて来《き》たぜ
奴《やつ》らオレ達兄弟《たちきょうだい》を狩《か》れないようだ
おまけにグラトニーを少《すこ》し大人《おとな》しくしてくれたよ

こうだ!!
!!
そっちは任《まか》せたぞリン!!
…っとォ!!

…のヤロ さすが「キング・ブラッドレイ」と 斬《き》り結《むす》んだって 言《い》うだけはあるな！
お誉《ほ》めの言葉《ことば》ドーモ
あんたハ……
奴《やつ》と違《ちが》って スキだらけダ!!
ドッ
!?
ぎちっ
かかったな

なる程《ほど》…
肉《にく》を斬《き》らせて
骨《ほね》を断《た》つ…カ
前《まえ》の闘《たたか》いで
おまえは
一筋縄《ひとすじなわ》でいかないのを
知《し》ったからね
どうだい？
おまえらニンゲンには
できない芸当《げいとう》だろ？
さぁて…
絞《し》め殺《ころ》されたいか？
がぱ
噛《か》み殺《ころ》されたいか？
それとも
斬《き》り刻《きざ》まれ
たいか？
グ…
みし
みし
みし
ポロ…
…そんじゃ
斬《き》り刻《きざ》む
方向《ほうこう》デ……
ざり…

ヤ……
ロウ……
目潰《めつぶ》しなんてセコい手《て》使《つか》いやがって…
ズン
家柄《いえがら》のせいで小《ちい》さい頃《ころ》から暗殺《あんさつ》の危険《きけん》にさらされ続《つづ》けてるんでネ
強《つよ》くセコくならざるを得《え》なかったんだヨ
どうだイ
前《まえ》も言《い》ったが大人《おとな》しく捕《つか》まってくれりゃ危害《きがい》は加《くわ》えなイ
こっちは賢者《けんじゃ》の石《いし》の情報《じょうほう》を持《も》ち帰《かえ》れればいいんダ
ぎりっ

糞《くそ》が…
ニンゲンふぜいが見下《みくだ》してんじゃねえ!!
人間《にんげん》なめるなヨ
人造人間《ホムンクルス》!!
あれ
よし捕《と》った!!

あぶないなも〜〜〜
そういやこいつ肋骨《ろっこつ》が伸《の》びるんだった…
にゃろ!!
パーン
ドゴン
いたぁい
どちゃ
ゴロゴロ

ダダダダダ
セッ!!
あう〜〜〜
じゃま〜〜〜
ぶわっ!!
おまえら食《た》べちゃダメなの〜〜〜
あっちの糸目《いとめ》が食《た》べたいの〜〜〜
捕《つか》まえた!!

よっしゃ いいぞ アル!!
捕《つか》まえた けど どうしよう!!
え
がしっ
えい
ぶんっ
おっ…
わあ!!
おいおい こっちの 邪魔《じゃま》すんナ…

……ヨ!!
く…
ああっ!!

びくん!
!!
はっは!! 止《と》まった!!
やれ!! グラトニー!!
コオオオオ
バッ……カヤロ…
リン!! 飲《の》まれるぞ!!
何《なに》!?

待《ま》っ…
くそっ!!
人柱《ひとばしら》を
飲《の》ませる
訳《わけ》には……
兄《にい》さん!!

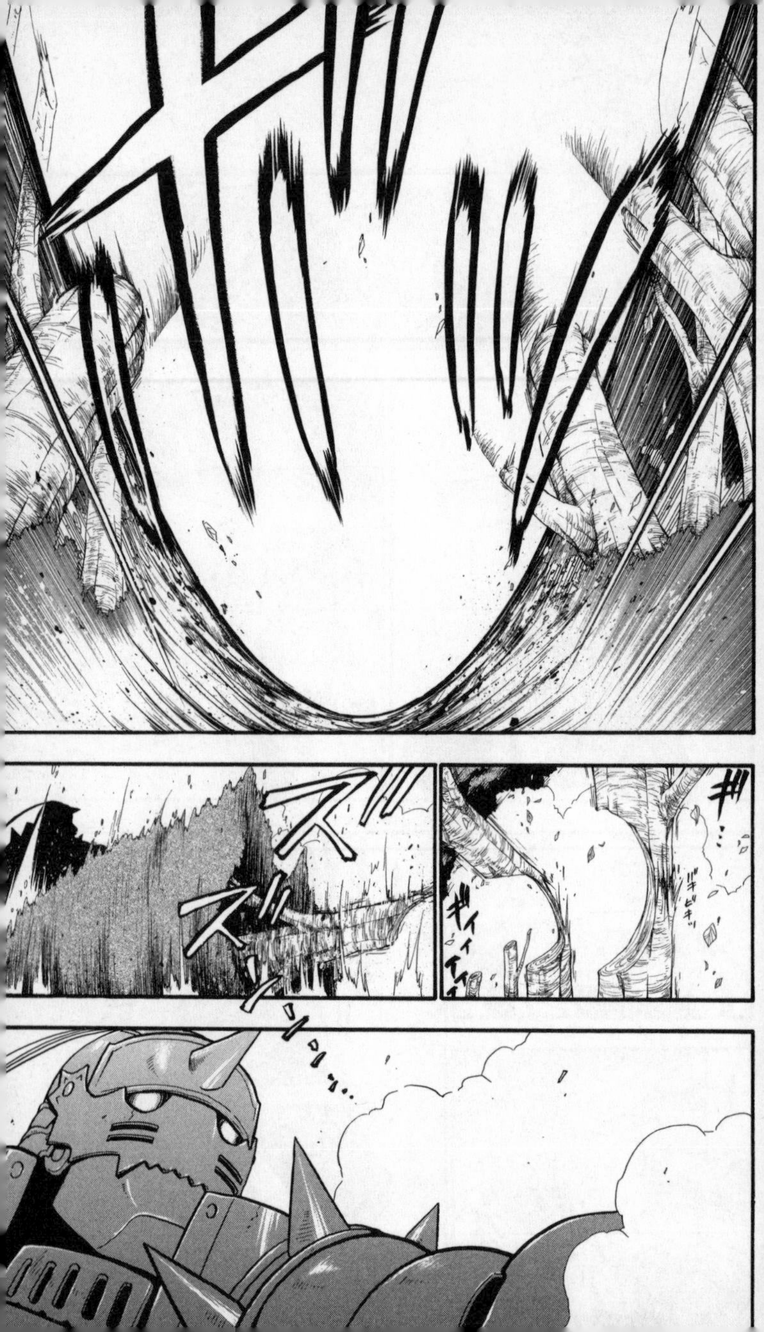
ギ…
ギイイイイ
ズズ

ザァッ
あ
お……
パキ

飲《の》んじゃった…
パキ
パキ
兄《にい》さん!! リン!!
兄《にい》さん!!
兄《にい》さん!! くそぉおお!! 出《だ》せよ!!
兄《にい》さんを!!
出《だ》してくれ!!
めきっ
兄《にい》……
むり
めき
めき
飲《の》んじゃった
めき

うそだろ……
ガシャ
兄《にい》さん…
うわあああああああ!!!

きったねェ
おっさんの部屋《へや》だが
あの廃屋《はいおく》より
マシだろ
他《ほか》にも昔《むかし》
嫁《よめ》さんやガキが
使《つか》ってた部屋《へや》はあるが
長《なが》い事《こと》
男《おとこ》やもめなんでな
そっちの部屋《へや》に
明《あ》かりがついてたら
近所《きんじょ》の奴《やつ》らに
あやしまれる
おまえら
足《あし》がついちまったら
まずいんだろう？
あ……
ありがとう
ございマス…
礼《れい》なんざ
いらねェ
俺《おれ》は
医者《いしゃ》の仕事《しごと》を
しただけだ
ドスッ
早《はや》く元気《げんき》に
なってくれりゃ
それでいい
そうだ
寝《ね》てる場合《ばあい》じゃ
ないイ…
早《はや》く
若《わか》の所《ところ》へ……
バカ野郎《やろう》!!

その身体《からだ》で何《なに》ができる!!
腕《うで》……
本当《ほんとう》に無《な》いんだ…

……っ
……
う……
点滴《てんてき》見《み》ててやる
さっさと寝《ね》ろ
まず中央《ちゅうおう》司令部《しれいぶ》内《ない》で敵《てき》と味方《みかた》を明確《めいかく》にする

鎌《かま》をかけつつ外堀《そとぼり》からじわじわと味方《みかた》を増《ふ》やす
敵《てき》でも味方《みかた》でもない立場《たちば》の者《もの》もこの国《くに》のトップが人造人間《ホムンクルス》と知《し》れば立《た》ち上《あ》がらざるを得《え》ないだろう
私《わたし》がグラトニーと接触《せっしょく》した事《こと》が敵側《てきがわ》にバレているかもしれん
慎重《しんちょう》にいこう
さて!
これは栄光《えいこう》の門《もん》か魔窟《まくつ》の入口《いりぐち》か…
中尉《ちゅうい》はここで待《ま》っていろ
はい

ピタ
万《まん》が一《いち》 私《わたし》に 何《なに》かあったら 君《きみ》だけでも 逃《に》げろ
いやです
命令《めいれい》だ
承服《しょうふく》 できません
強情《ごうじょう》だな 気《き》にくわん 命令《めいれい》でも 飲《の》み込《こ》み たまえよ
裏表《うらおもて》の無《な》い 性格《せいかく》だと 自負《じふ》しております
ふー…
君《きみ》のような 意志《いし》の強《つよ》い 部下《ぶか》を持《も》てて 私《わたし》は幸《しあわ》せだよ

わかった
必《かなら》ず戻《もど》って来《く》るから待《ま》っていろ
はい!
ご武運《ぶうん》を
とは言《い》ったものの…
どこから大総統《だいそうとう》を突《つ》き崩《くず》すか…
どの辺《へん》から鎌《かま》をかける? 将軍《しょうぐん》クラスからか? 佐官《さかん》からか?
いやいやまだこの目《め》で大総統《だいそうとう》が人造人間《ホムンクルス》である事《こと》を確認《かくにん》してないし…

どうしたものか…
うーむ
いようマスタング君《くん》!
元《げん》気《き》でやっとるかね!?
あれ
いやーすまんすまん!
がははははは
そういや君《きみ》つい先日《せんじつ》まで入院《にゅういん》してたんだっけか!
は…
このような時間《じかん》まで仕事《しごと》ですかレイブン将軍《しょうぐん》
いやぁ緊急《きんきゅう》の会議《かいぎ》に呼《よ》び出《だ》されてな

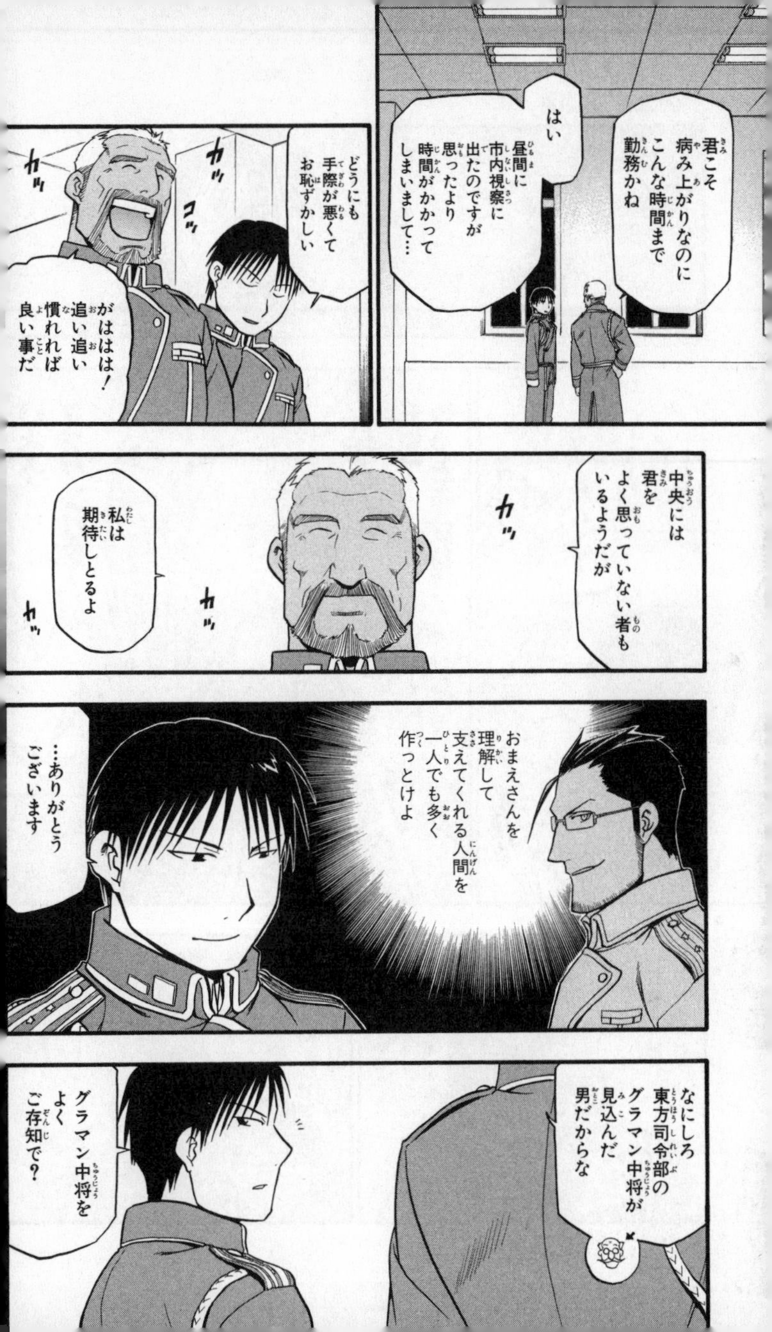
君《きみ》こそ病《や》み上《あ》がりなのにこんな時間《じかん》まで勤務《きんむ》かね
はい
昼間《ひるま》に市内視察《しないしさつ》に出《で》たのですが思《おも》ったより時間《じかん》がかかってしまいまして…
どうにも手際《てぎわ》が悪《わる》くてお恥《は》ずかしい
カッ
コッ
カッ
がははは！追《お》い追《お》い慣《な》れれば良《よ》い事《こと》だ
中央《ちゅうおう》には君《きみ》をよく思《おも》っていない者《もの》もいるようだが
カッ
私《わたし》は期待《きたい》しとるよ
カッ
カッ
おまえさんを理解《りかい》して支《ささ》えてくれる人間《にんげん》を一人《ひとり》でも多《おお》く作《つく》っとけよ
…ありがとうございます
なにしろ東方司令部《とうほうしれいぶ》のグラマン中将《ちゅうじょう》が見込《みこ》んだ男《おとこ》だからな
グラマン中将《ちゅうじょう》をよくご存知《ぞんじ》で？

ああ
何度《なんど》か戦場《せんじょう》で一緒《いっしょ》になったよ
カッ
カッ
カッ
あいつは変人《へんじん》だが頭《あたま》の回《まわ》る男《おとこ》だ
あんな東《ひがし》の田舎《いなか》でくすぶらせておくのはもったいない…
――っとすまん！君《きみ》も東部出身《とうぶしゅっしん》だったか
いえ実際《じっさい》田舎《いなか》ですので
ははは
中央《セントラル》のような華《はな》やかな場《ば》に少《すこ》しでも早《はや》くなじもうと田舎者《いなかもの》なりにあがいております
なるほど…君《きみ》が市内視察《しないしさつ》によく出《で》ているのはそのためか
ええまあ
あとは治安維持《ちあんいじ》も含《ふく》めてですが…
視察《しさつ》の際《さい》に市民《しみん》と世間話《せけんばなし》をよくしますね
市井《しせい》に流《なが》れる一見《いっけん》くだらない噂話《うわさばなし》の中《なか》にまれに事件《じけん》の手《て》がかりが含《ふく》まれていたりしますから
テロが多かった東部ならではのやり方ですが
カッ
カッ
コッ
ほう！
最近《さいきん》何《なに》か面白《おもしろ》い噂話《うわさばなし》はあったかね？
さぁ…ジョークに近《ちか》い噂《うわさ》ばかりで…

傷《スカー》の男がネコにエサをやっていたとか
死《し》なない人間《にんげん》が現《あらわ》れたとか…
キング・ブラッドレイ大総統《だいそうとう》が人造人間《ホムンクルス》だった…
…とか
ぶっ
ふ…
ふふははははは

がはははははははは
はははははははは
つまらんよ マスタング君《くん》
君《きみ》 ギャグセンス 無《な》いね
いえ 私《わたし》が流《なが》した ウワサでは なく……
まぁ そんなゴシップでも 皆《みな》のお茶《ちゃ》うけくらいに なるだろう
来《き》たまえ
はっ?
まだ 会議《かいぎ》の 休憩時間《きゅうけいじかん》でな
入《はい》りたまえ
ギィッ
いえ 私《わたし》なぞが このような…
諸君《しょくん》!!
マスタング大佐《たいさ》が 面白《おもしろ》い話《はなし》を 持《も》って来《き》て くれたぞ
聴《き》いて やってくれ

さて さっきの ジョーク…
なんだった かな?
そうそう
大総統《だいそうとう》が 人造人間《ホムンクルス》という 話《はなし》だったか

続《つづ》きを…
どうしたね
マスタング大佐《たいさ》
！
ス…

続《つづ》きを
私《わたし》が人造人間《ホムンクルス》でどうしたと言《い》うのかね？
何《なに》か問題《もんだい》でも？
……ああ そうか ヒューズ…

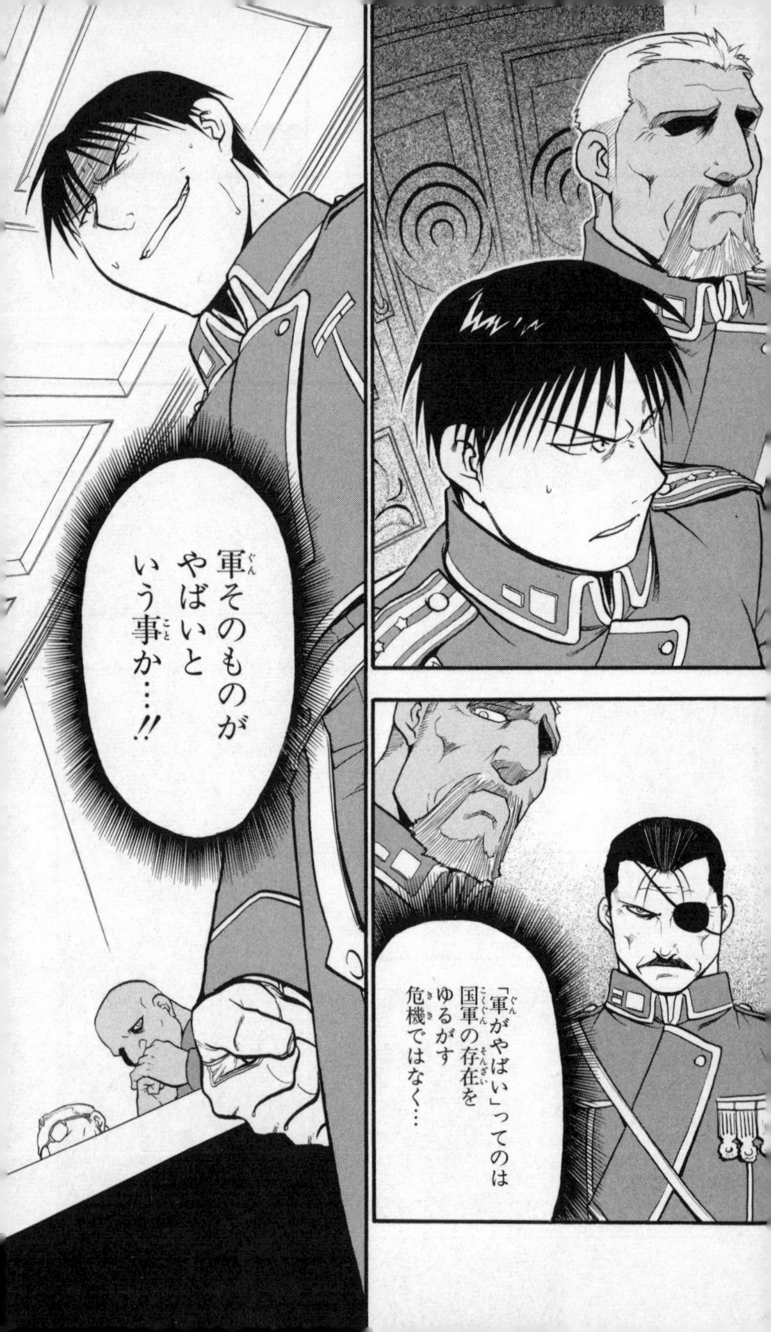
「軍《ぐん》がやばい」ってのは国軍《こくぐん》の存在《そんざい》をゆるがす危機《きき》ではなく…
軍《ぐん》そのものがやばいという事《こと》か…!!

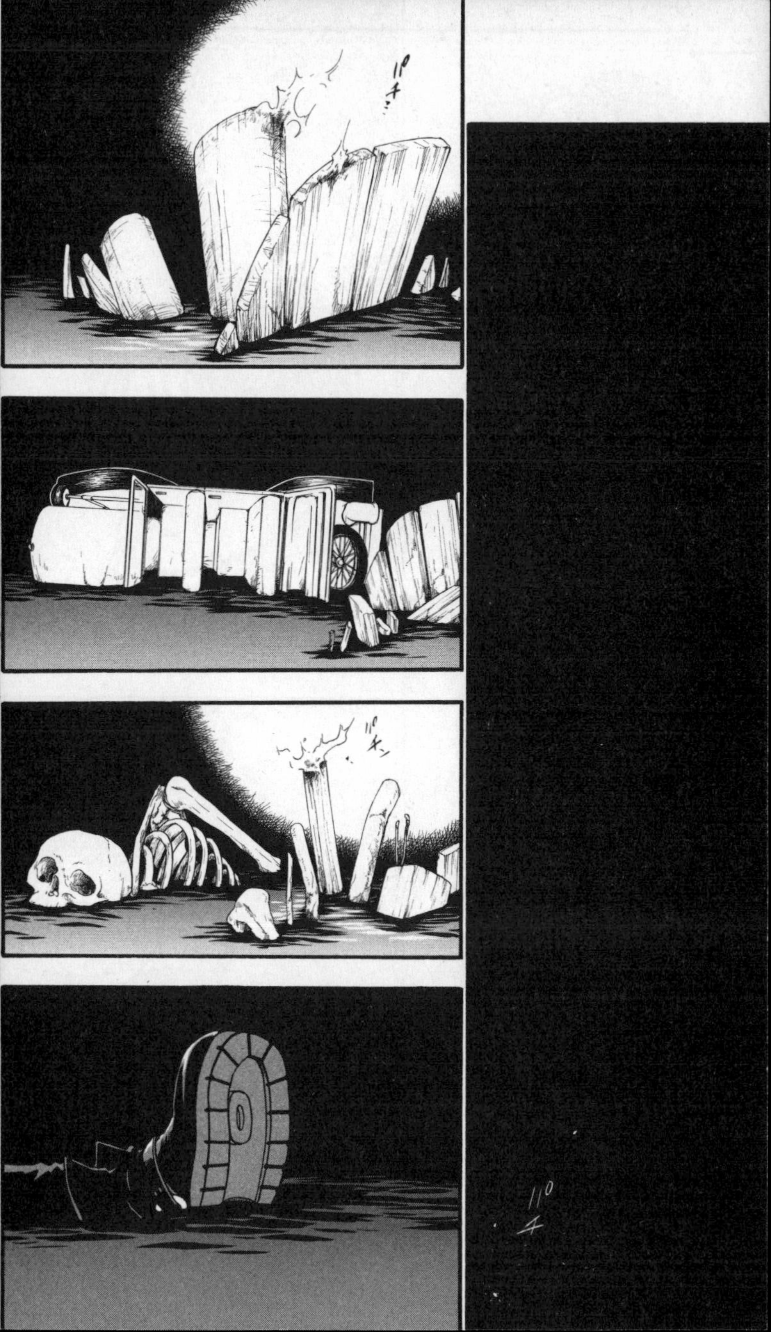
パキ…
パキッ

……
右手《みぎて》……
動《うご》く
左手《ひだりて》も……動《うご》くな

両足《りょうあし》…
パシャ
よしよし五体満足《ごたいまんぞく》
ぶえええ
ドプ
臭《くせ》え……
ひっでぇ臭《にお》いだな
ゲボ
なんでオレこんな所《とこ》に…
そうだ…
リンと一緒《いっしょ》にグラトニーに飲《の》まれそうになって…
ザプ…
……飲《の》まれ…て…

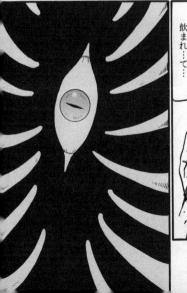

……？
あの感覚《かんかく》どこかで…
鉄臭《てつくさ》っ…
これ血《ち》か!?
ザブ
そもそもどこだここは!!
アル!?
おい!!誰《だれ》かいないのか!!
ザブ ザブ
なんだよここ…
リン!!
誰《だれ》か…

ここはどこなんだ――――ッ!!!

第《だい》51話《わ》
闇《やみ》の扉《とびら》

ザ
ザ
おーーい
誰《だれ》か
いないのか!!
アル!?
どうなってんだ
これ!
どこなんだよ
ここは!!
あーもう
こうなったら
グラトニーでも
いいや!
いるなら
説明《せつめい》しやがれ!
アルーー!!
グラトニーー!!
バカ皇子《おうじ》ーー!!
バカとはなんだ
バカとハ
お?
ザ
ザ

ザザ
ザザ
リン！
ザザ
一国《いっこく》の皇子《おうじ》になんたる言《い》い草《ぐさ》ダ！
無事《ぶじ》だったか！
ザザ
ザザ
とりあえずはナ
……っと
ピタ
？
なんダ？
…おめーエンヴィーが化《ば》けてたりしねーよな
あのな…なんなら君達《きみたち》が泊《と》まってたホテルで俺達《おれたち》が食《く》ったルームサービスのメニューを上《うえ》から全部《ぜんぶ》言《い》ってやろうカ？
よし本物《ほんもの》のリンだ
そっちこそニセ者《もの》じゃないだろうなこのマ…
誰《だれ》が豆粒《まめつぶ》だ!!
よし本物《ほんもの》だナ

それよりも ここは どこだ？
わからなイ
今《いま》 あっちの方向《ほうこう》へ しばらく歩《ある》いて みたんだガ…
ひたすら 暗闇《くらやみ》だッタ
どこまで 行《い》っても 終《お》わりが無《な》イ
んなバカな！ 松明《たいまつ》貸せ！
ぼっ
うわわわわ!! 人骨《じんこつ》!?
ああ その辺《へん》に転《ころ》がってた 死体《したい》やら木《き》やら 拝借《はいしゃく》して 松明《たいまつ》にしタ
この暗闇《くらやみ》で 明《あ》かり無《な》しに 歩《ある》いてたら 気《き》が狂《くる》う ところだヨ
火元《ひもと》が あって 助《たす》かっタ
火元《ひもと》？
なんの火《ひ》だ これ

あの大佐《たいさ》の炎《ほのお》が グラトニーに 飲《の》まれてたから それじゃないのカ？
あ 思《おも》わぬ所《ところ》で 役《やく》に 立《た》ってんじゃ ねーか 大佐《たいさ》の奴《やつ》
そうだ！「飲《の》まれて」って ……
オレ達本当《たちほんとう》に グラトニーに 飲《の》まれたのか!? どうして こんな所《ところ》にいる!?
説明《せつめい》して ほしいのは こっちだヨ
俺達《おれたち》は あの時確《ときたし》かに グラトニーに ばっくり やられテ……
確《たし》かにオレも 飲《の》まれた記憶《きおく》 あるけどさ
奴《やつ》の腹《はら》の中《なか》が こんな広《ひろ》い訳《わけ》 あるかよ
でもほら 見《み》ろよコレ
俺達《おれたち》が さっきいた 廃屋《はいおく》だゾ？
マジで 腹《はら》の中《なか》……？
あ…！
これ 中尉《ちゅうい》が乗《の》ってた 車《くるま》だ！
さあナ
エンヴィーが俺《おれ》を 飲《の》ませたがってた ところから見《み》ると ここがろくでもない 場所《ばしょ》だって事《こと》は 確《たし》かだろうけド…
！

ザザザ
ザザザ
?
どしタ?
これはっ…
リン!
これ!
ア……
アルの手《て》?
手《て》だけって
事《こと》は…
しかし
困《こま》ったな——
ここがどこだか
さっぱり
わかんねぇし…
本体《ほんたい》は
こっちに
来《き》てないって
事《こと》だよな…
ほー…
とりあえず
安心《あんしん》して
いいか…
アル
心配《しんぱい》してる
だろうなぁ…

ぬおおおお!!
都合《つごう》よく
目覚《めざ》めよ
オレの
精神感応《テレパシー》能力《のうりょく》!!
エルリック
テレパシー
受けとれ
弟ー!!
一人《ひとり》で
やってロ!
ザザ
ザザ
ただの
夜《よる》って訳《わけ》じゃ
ないよな
星《ほし》も
見《み》えないし
あア
生《い》き物《もの》の
気配《けはい》が
しないから
野外《やがい》でも
なさそうダ
ザブ
ザブ
ザブ
やっぱり
変《へん》だぜここ
色《いろ》んな
建物《たてもの》やら
白骨死体《はっこつしたい》やら
転《ころ》がってるけど…
時代《じだい》が
バラバラだろ
これ
どう
なってんだ?
そもそも
本当《ほんとう》に
出口《でぐち》
あるのか
ココ…
ザブ
ザブ
知《し》らん!!
知《し》らんが
出《で》る!!
ザブ

「出口《でぐち》が無《な》けりゃ作《つく》る」のが俺《おれ》のモットー!!
作《つく》るっテ…
どこニ？
………
…あっ!! 足元《あしもと》!!
とりあえず地面《じめん》はある!!
どうダ？
うーん…
こりゃ地面《じめん》と言《い》うより血《ち》のかたまりだな
とりあえず穴開《あなあ》けてみっか
えーと血液《けつえき》の成分《せいぶん》はタンパク質《しつ》と脂肪《しぼう》と尿素《にょうそ》と鉄分《てつぶん》と…

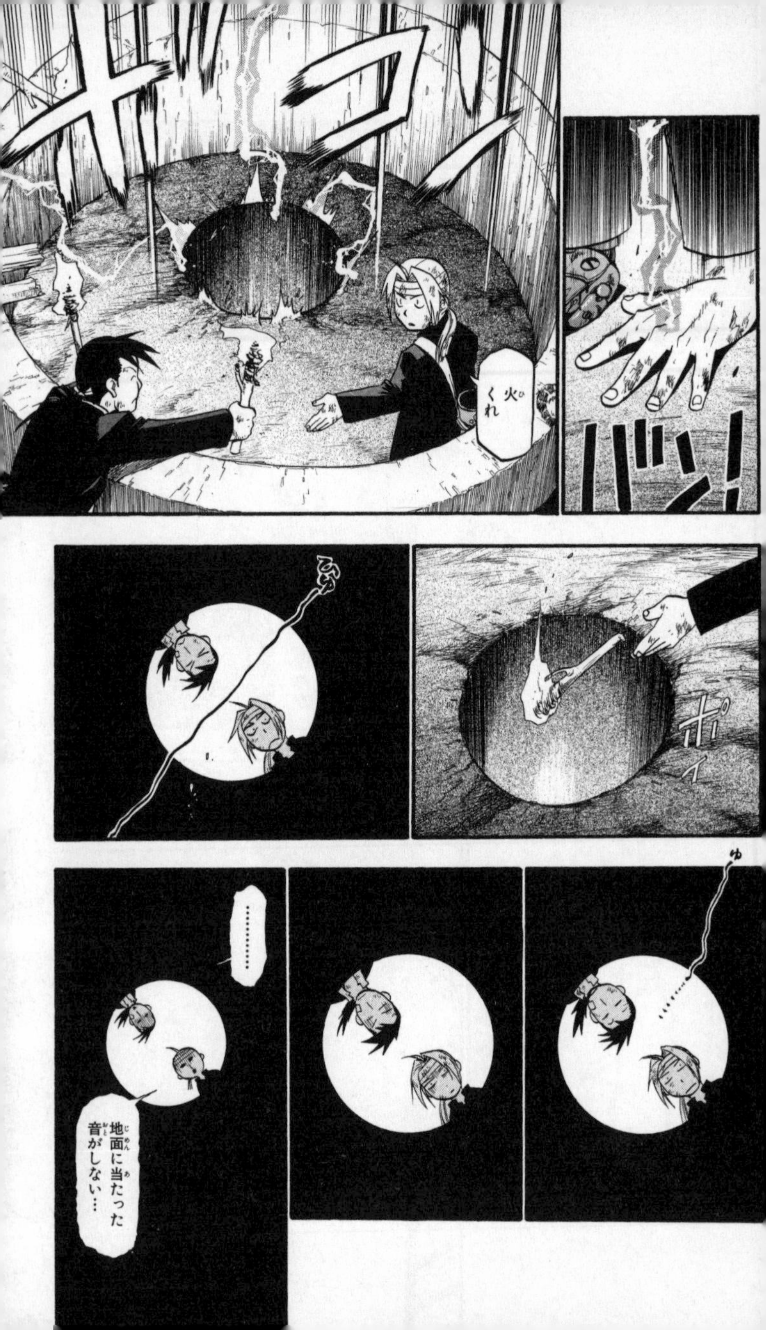
バン!
火《ひ》くれ
ポイ
ひゅ
ゆ
……
地面《じめん》に当《あ》たった音《おと》がしない…

壁《かべ》ダ!!
壁《かべ》探《さが》そウ!!
ザンザンザンザンザン
うん そうしよう!!
なぁに!どんなだだっ広《ぴろ》い空間《くうかん》でもまっすぐ歩《ある》きゃいつか端《はし》にたどり着《つ》けるさ!!
ザザ
ザザ
は——ァ…
進《すす》め!!
シャオメイ!
シャオメイどこ——!?
シャオメイ〜〜〜…
ヨキさんあの子《こ》帰《かえ》って来《き》てませんカ?
あの白黒《しろくろ》ネコ?
知《し》らんぞ

どこ行《い》っちゃったのシャオメイ〜〜〜
野良犬《のらいぬ》にでも食《く》われたんじゃないのか？
ノラ……
ぱおっ
わ――!!!
うそ!!! ごめん!!!
あの子《こ》…シャオメイは生《う》まれつきの病気《びょうき》で大《おお》きくなれなかった大熊猫《おおくまねこ》なんでス
パチ…
身体《からだ》が大《おお》きくなれず他《ほか》の大熊猫《おおくまねこ》に捨《す》て行《い》かれたのを私《わたし》が拾《ひろ》っテ…
以来《いらい》姉妹《しまい》のように育《そだ》ってきましタ
私《わたし》の一族《いちぞく》…
チャン族《ぞく》はシン国《こく》50の民族《みんぞく》の中《なか》で権力《けんりょく》なんて無《な》いに等《ひと》しい最下層《さいかそう》の一族《いちぞく》なんでス

だから ですかネ
立場《たちば》の弱《よわ》い者同士《ものどうし》 引《ひ》かれあったと 言《い》うカ…… うん 最初《さいしょ》は 同情《どうじょう》だったのかも しれません
がぶー
イヤー
でも 家族同然《かぞくどうぜん》に 育《そだ》って来《き》て 苦労《くろう》も 一緒《いっしょ》にしてきテ…
私《わたし》にとって かけがえの無《な》い 存在《そんざい》に なったんでス
あの子《こ》がいたから 耐《た》えられた事《こと》も いっぱいありましタ
今回《こんかい》の 砂漠越《さばくご》えだって あの子《こ》と一緒《いっしょ》だから 耐《た》えられたんでス
そうだ！ その 砂漠越《さばくご》えだがよ そこまで 命《いのち》をかけて この国《くに》に来《く》る 必要《ひつよう》が どこにある？
不老不死《ふろうふし》の法《ほう》を 得《え》るためでス!!

不《ふ》…？
不老不死《ふろうふし》の法《ほう》を持《も》ち帰《かえ》って皇帝陛下《こうていへいか》の信用《しんよう》を得《え》なければわが一族《いちぞく》はこのまま滅《ほろ》びてしまうでしょウ
あの子《こ》……
ぎゅうっ
そのために死《し》ぬ気《き》で砂漠《さばく》越《ご》えをあの子《こ》ト……
シャオメイ〜〜〜
じょばっ
干上がる…
ああもう泣《な》くな頼《たの》むから！
うえええええ
なぁ!!

ス…
旦那《だんな》？
シャオメイとやらを
捜《さが》しに行《い》くなら
憲兵《けんぺい》の目《め》の少《すく》ない
今《いま》のうちだろう
日《ひ》の出《で》まで
まだ少《すこ》し
時間《じかん》がある
手伝《てつだ》って
くれるんですカ？
足《あし》を
治《なお》してくれた
礼《れい》だ
おっかない顔《かお》
してるけど
良《い》い人《ひと》ですネ！
ぐす
いや……

あいつの一族《いちぞく》…イシュヴァールの民《たみ》はな
先《さき》の内乱《ないらん》で滅《ほろ》びてしまったんだ
おまえの所《ところ》の弱小一族《じゃくしょういちぞく》の存亡《そんぼう》ってのに思《おも》うところがあるんだろうよ
どうした捜《さが》さんのか?
あッ…
はい!ヨキさんの下僕《げぼく》サン!!
…「下僕《げぼく》」はやめろ
タタタタタ
エ? じゃあお名前《なまえ》ハ?
人《ひと》に名乗《なの》る名前《なまえ》は無《な》い 好《す》きに呼《よ》べ
えーと じゃあ バッテンさん
…それも却下《きゃっか》だ
えェ!? えーとえーと じゃア……

タン
タン
タン!!
シ～～ン
右《みぎ》も左《ひだり》も上《うえ》も反響音《はんきょうおん》無《な》シ
ありえねー!
なんだ
この広《ひろ》い空間《くうかん》!!

ザブ ザブ ザブ
はーひー
ふー
足元《あしもと》が
血《これ》の海だト…
よけいに
疲《つか》れるナ……
ぜー
けー
ふんばれよ…
どこかに…必《かなら》ず
出口《でぐち》…あるって
はー
ひ
…………
さっきから
何時間《なんじかんある》歩いタ?
さあな
腹減《はらへ》っタ…
外《そと》に出《で》たら
まず
メシだメシ
ぜー
はー
ひー
オレも
メシ食《く》って
寝《ね》て…
あ…やべっ…
スカー戦《せん》で
壊《こわ》した家《いえ》やら
街《まち》やら…
直《なお》しに
行《い》かなきゃ…
ぜ
ドシャン
はー
ひー
リン!?
も……
ダメ…ダ…
おうおう
リタイアかよ
だらしねーな
腹《はら》…
減《へ》っテ…
こんな所《とこ》に来《き》て
また
行《い》き倒《だお》れる気《き》か

オラ しっかりしろ!
立《た》て!
ガクガク
歩《ある》け!
…先《さき》… 行《い》けヨ…
ああ?
俺《おれ》に かまうナ…
おまえ…だけでも 先《さき》に… 行《い》ケ…
かっ!! この根性《こんじょう》無《な》し!!
ほんじゃ オレ一人《ひとり》で 行《い》かせて もらうぜ!!
ザッ
ザッ
こんな所《とこ》で くたばる訳《わけ》に いかねーからな!!
本当《ほんとう》に オレ一人《ひとり》で 行《い》っちゃうぞ!!
本当《ほんとう》だからな!!
捨《す》ててくぞ!!

ふん
……一人で行《い》くんじゃなかったのカ
おう！オレの帰《かえ》りを待《ま》ってる奴《やつ》がいるからな！
おめーと共倒《ともだお》れなんてまっぴらだ！
けど…
おめーにも待《ま》ってる奴《やつ》がいるんだろ…!!

つーかなぁ！
てめ…
まだ喋《しゃべ》るだけの
体力《たいりょく》……ある…
なら………
ふが
ふご
バシャ
歩《ある》けっ………
ドボン
ぐえ
ちっ……くしょ……
ぜー
はー
ぜー
はー
血《ち》の海《うみ》に……
体力《たいりょく》…
取《と》られ続《つづ》ける
だけだな……
ぜは
ぜは
ぜひ
ぜひ
ぷはー
出口《でぐち》が
見《み》えぬまま…
まさに
死《し》の行軍《こうぐん》……
だナ……

腹《はら》へッタ…
じゃー
せめて食《く》い物《もの》があれバ…
知《し》ってるか？リン
あ？
革製品《かわせいひん》って食《く》えるんだぞ
ガキの頃《ころ》に観《み》た映画《えいが》でな…
革靴《かわぐつ》を煮込《にこ》んで食《く》うシーンがあった…
待《ま》て靴《くつ》っテ…
あ！しまった鍋《なべ》が無《ね》ぇな
その辺《へん》の物《もの》でテキトーに錬成《れんせい》して…と
…おイ
水《みず》は…この血《ち》の海《うみ》を精製《せいせい》すればいいか
うん
おーイ
バシッ

すまないナ
何《なに》が？
俺《おれ》をかばったばっかりにこんな所《とこ》に放《ほう》り込まれてえらい目《め》にあってサ
別《べつ》に
ガキん時《とき》の修業《しゅぎょう》に比《くら》べりゃたいした事《こと》無《ね》えし
どんな幼児体験《ようじたいけん》ダ……
うわやべっ
ゴミつまってる
ここがどこだかわかんねーのは困《こま》るけどよ
とりあえずピンシャンしてるからおかげで出口《でぐち》が探《さが》せる
…………
前向《まえむ》きだなァ
前向《まえむ》きっつーか生《い》きる事《こと》にねちっこいだけだ
ちょっとでもあきらめたらアルの鉄拳《てっけん》と怒号《どごう》が飛《と》んで来るからな
弱音《よわね》吐《は》いてらんねぇよ

さて
休憩《きゅうけい》は
終《お》わりだ
行《い》こうぜ
ハ〜〜〜〜…
やっぱり
歩《ある》くしか
無《な》いのカ…
待《ま》て
エド
…
？
どした？
何《なに》か
来《く》るゾ！
ザ
ザ
ザ
ザ
…
これハ…
あらら…
明《あ》かりが見《み》えるから
もしやと思《おも》ったら
ザプ

おまえ達《たち》かよ
やっぱりエンヴィー！
出口《でぐち》教《おし》えてクダサイ!!
クワッ
いきなり下手《したて》!?
たりめーだ!! 生《い》き残《のこ》るためなら敵《てき》に魂売《たましいう》るぜ!! 一瞬《いっしゅん》だけだがな!!
生《い》きる事《こと》にねちっこいのはいいが何《なに》か美《うつく》しくないゾ!!
うるせー!! 人間《にんげん》生《い》き残《のこ》ってなんぼじゃい!!
…………
出口《でぐち》なんて無《な》いよ
何《なに》!?
…っとに余計《よけい》な事《こと》してくれた
そっちの糸目《いとめ》だけ飲《の》ませる予定《よてい》だったのにこのエンヴィーまで芋《いも》ヅルだよ…

飲《の》む…って…じゃあやっぱりここはグラトニーの腹《はら》の中《なか》なのカ!?
つーかエンヴィーの奴どさくさで飲まれたのかダサッ
……
でも人の事言えんから黙っとこ…
腹《はら》の中《なか》であり腹《はら》の中《なか》じゃあない
鋼《はがね》のおチ…錬金術師《れんきんじゅつし》サンはここがどこだかもう気付《きづ》いてんじゃないのかい？
そういやグラトニーに飲《の》まれた瞬間《しゅんかん》…あの感覚《かんかく》どこかで……
覚《おぼ》えがあるだろう？
あんたは過去《かこ》に経験《けいけん》してるんだから
……？

真理《しんり》の扉《とびら》…!!
でもっ…あそこはこんな暗闇《くらやみ》でも血《ち》の海《うみ》でもなかった!!
?
?
まっ白《しろ》い空間《くうかん》に扉《とびら》があって…
へえ…本物《ほんもの》はそんな場所《ばしょ》なんだ
本物《ほんもの》!?
これは…
グラトニーは〝お父様《とうさま》〟が作《つく》った疑似《ぎじ》・真理《しんり》の扉《とびら》だ
おい真理《しんり》の扉《とびら》ってなんの事《こと》ダ?

〝お父様《とうさま》〟の力《ちから》を持《も》ってしても作《つく》る事《こと》ができなかった
本物《ほんもの》の扉《とびら》にはなれなかった失敗作《しっぱいさく》さ
ここはそうだな…
現実《げんじつ》と真理《しんり》の狭間《はざま》といったところかな
出口《でぐち》も出《で》る方法《ほうほう》もありはしない
誰《だれ》も出《で》られないここを
力尽《ちからつ》き寿命《じゅみょう》が尽《つ》きるのを待《ま》つだけだ
皆《みんな》ここで死《し》を待《ま》つしか無《な》い……!!

嘘《うそ》だ!!
そんな事《こと》があってたまるか!!
なんとか言《い》えエンヴィー!!
たのむ…嘘《うそ》だと言《い》ってくレ!!

出口《でぐち》が無《な》い……
ここで死《し》ぬ……？
ちょっと待《ま》ってくれよ
オレが死《し》んだらアルはどーすんだよ
約《やく》っ……約束《やくそく》してんだよ……!!
だいたいなんなんだどいつもこいつも「扉《とびら》」…「扉《とびら》」って!!
「扉《とびら》」を開《あ》けた人間《にんげん》が必要《ひつよう》って…
いや待《ま》て待《ま》て
そもそも「扉《とびら》」を自《みずか》ら造《つく》ろうとするくらいに必要《ひつよう》としているおまえの〝お父様《とうさま》〟って誰《だれ》だ？
ブラッドレイ大総統《だいそうとう》か？
く……
ブラッドレイ？
は！
あんなガキがお父様《とうさま》な訳《わけ》あるか！
あれをガキ扱《あつか》イ……
大総統《だいそうとう》も……造《つく》られた人間《にんげん》なんだな？

そうだよ
…最悪《さいあく》だ
第五研究所《だいごけんきゅうじょ》…
人《ひと》の命《いのち》を使《つか》った賢者《けんじゃ》の石《いし》…
人造人間《ホムンクルス》…
大総統《だいそうとう》もと言《い》う事《こと》はイシュヴァール戦《せん》もからんでるな？
イシュヴァール！
ははは！あれ程《ほど》みごとな内乱《ないらん》は無《な》いね！
覚《おぼ》えてるかい？あの内乱《ないらん》が勃発《ぼっぱつ》したきっかけを！
…？
確《たし》か軍《ぐん》の将校《しょうこう》がイシュヴァールの子供《こども》を誤《あやま》って撃《う》ち殺《ころ》したって……
そう!!

このエンヴィーが!
子供《こども》を撃《う》ち殺《ころ》した張本人《ちょうほんにん》!!
気持《きも》ち良《よ》かったね あれは
弾丸一発《だんがんいっぱつ》でみるみる内乱《ないらん》が広《ひろ》がっていく様《さま》は壮快《そうかい》だったぁ!
本当《ほんとう》に人間《にんげん》ってやつは操《あやつ》り易《やす》い面白《おもしろ》い生《い》き物《もの》だ!
愉快《ゆかい》だったよ!!
ああ ちなみにね 当時《とうじ》イシュヴァールへの軍事介入《ぐんじかいにゅう》に反対《はんたい》していた穏健派将校《おんけんはしょうこう》に化《ば》けて撃《う》ってやったんだぁ!!
そいつは後《あと》で軍法会議《ぐんぽうかいぎ》で裁《さば》かれちゃってねぇ!

ははは
あははは
ジャマな奴《やつ》を一人《ひとり》抹殺《まっさつ》して内乱《ないらん》も起《お》こせて一石二鳥《いっせきにちょう》!!
てめぇか…
なんの罪《つみ》も無《な》い子《こ》を撃《う》ち殺《ころ》したあの内乱《ないらん》の元凶《げんきょう》…
東部《とうぶ》もオレ達《たち》の故郷《こきょう》も壊《こわ》して…
イシュヴァール人《じん》を追《お》いやって…
傷の男《スカー》という復讐鬼《ふくしゅうき》を生《う》み出《だ》して…
あいつの…
ウィンリィの両親《りょうしん》を奪《うば》ったあの内乱《ないらん》の始《はじ》まり…

てめえかーーつっ!!!
ゴッ
ビリ
ビリ
なんだと…?
こいつ
ビクとも
………

戦《や》るか?
ガキども
エド
退《ひ》けッ!
どうせ
ここで
全員《ぜんいん》死《し》ぬんだ
冥土《めいど》の土産《みやげ》に
いいもの
見《み》せてやるよ
めき
めき
めき
めき
森《もり》の中《なか》で
闘《たたか》った時《とき》
奴《やつ》の足元《あしもと》を
見《み》たカ?
いや

かなり陥没《かんぼつ》してただろウ
セントラル市内《しない》で闘《たたか》った時《とき》も奴《やつ》の着地《ちゃくち》した鉄柵《てっさく》だけひん曲《ま》がってタ
めき
めき
…てぇ事《こと》は……
あんなナリでハンパじゃない体重《たいじゅう》をしてるって事《こと》ダ
気《き》をつけロ
めき
めき
めき
あいつ本体《ほんたい》はかなり……
めき
めき
めき
でか……イ
………
めき
めき
……
………
めき

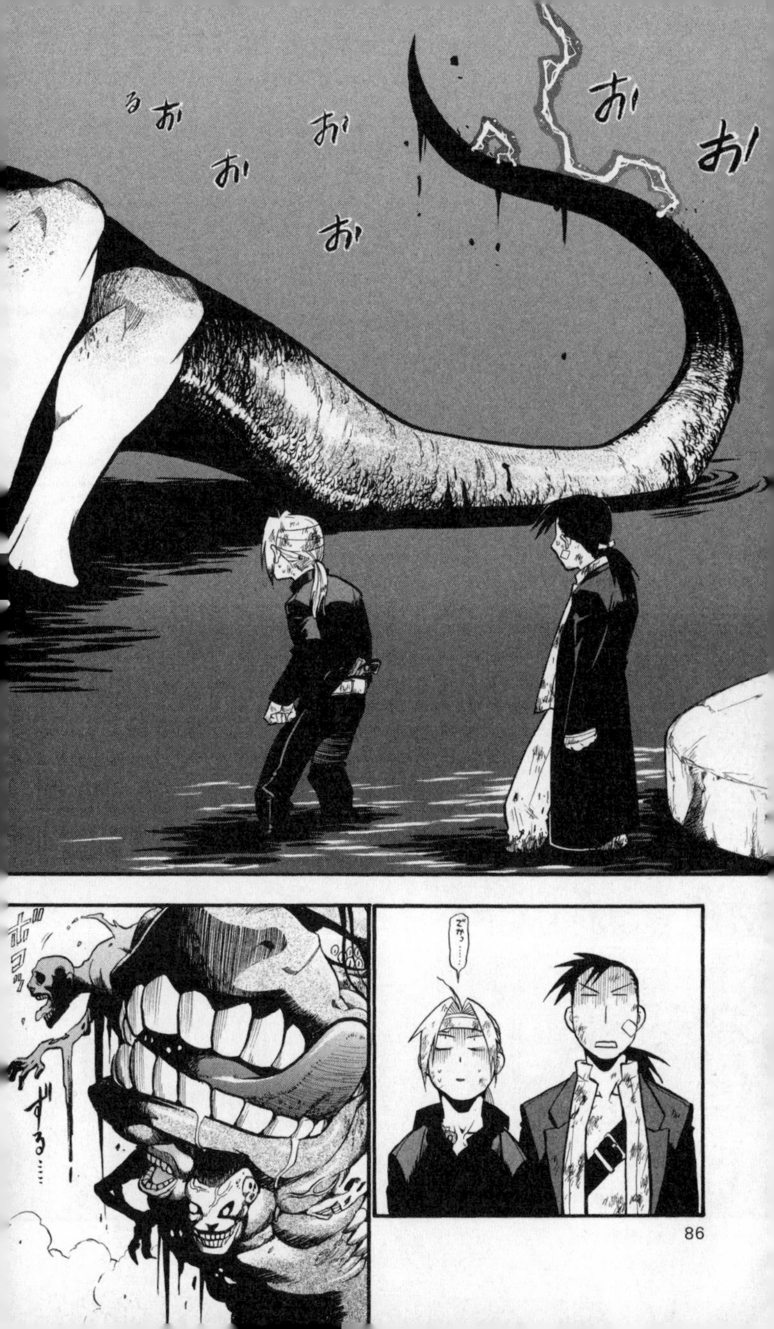
るおおおお
おお!
ボゴッ
ずる……
でかっ……

なんだこリャ!!
どこが人造《じんぞう》"人間《にんげん》"だヨ!!
ドうだ
これガ
オレの
俺《おれ》の
私《わたし》の
ぎち
ぎち
ぎち
姿《すがた》を
コの姿《すがた》を
ザァァ

…………!!
リン！

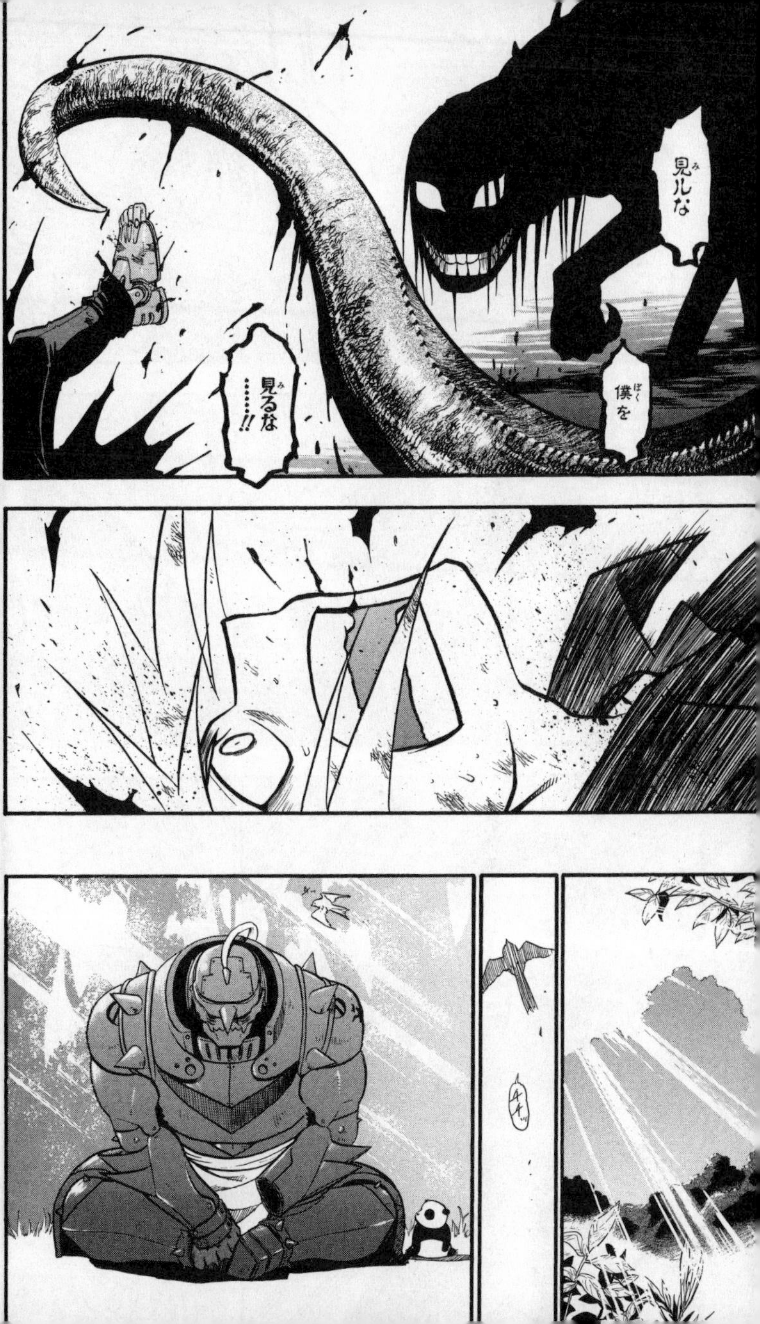
見《み》ルな
僕《ぼく》を
見《み》るな……!!
ムム…

〜〜〜〜〜
人柱《ひとばしら》
飲《の》んじゃった〜〜〜
エンヴィーも
飲《の》んじゃった〜〜〜
おで
どうすればいい?

………知《し》らないよ
〜〜〜
おとーさまにおこられる…
おとーさま…？
父親《ちちおや》がいるの？
いるよ〜〜〜
人造人間《ホムンクルス》を造《つく》った人《ひと》？
つくったよ〜〜〜

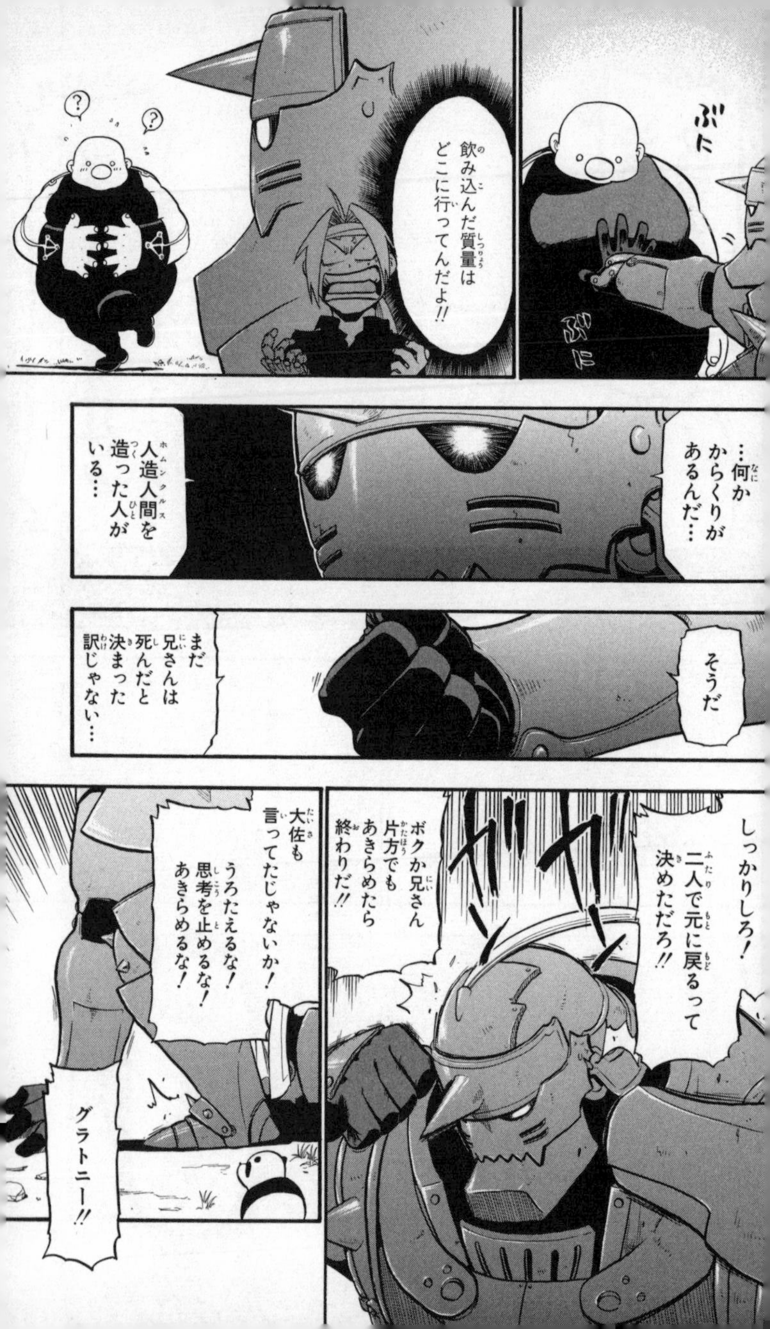
飲《の》み込《こ》んだ質量《しつりょう》はどこに行《い》ってんだよ!!
…何《なに》かからくりがあるんだ…
人造人間《ホムンクルス》を造《つく》った人《ひと》がいる…
そうだ
まだ兄《にい》さんは死《し》んだと決《き》まった訳《わけ》じゃない…
しっかりしろ!
二人《ふたり》で元《もと》に戻《もど》るって決《き》めただろ!!
ボクか兄《にい》さん片方《かたほう》でもあきらめたら終《お》わりだ!!
大佐《たいさ》も言《い》ってたじゃないか!
うろたえるな!思考《しこう》を止《と》めるな!あきらめるな!
グラトニー!!

ボクを連《つ》れて行《い》け!!
その父親《ちちおや》の所《ところ》へ!!
あきらめるな!!

ボクを連《つ》れて行《い》け!!
その父《ちち》親《おや》の所《ところ》へ!!
ん――…
おまえ扉《とびら》あけた?
うん開《あ》けた開《あ》けた
連《つ》れてったらおとーさまよろこぶ?
喜《よろこ》ぶよーめっちゃ喜《よろこ》ぶよー

にいっ

第《だい》52話《わ》 魔《ま》窟《くつ》の王《おう》

うむ
奴《やつ》は名目《めいもく》だけでも第五研究所《だいごけんきゅうじょ》の責任者《せきにんしゃ》になっていたからな
人体実験《じんたいじっけん》の跡《あと》が見付《みつ》かった場合《ばあい》奴《やつ》に全責任《ぜんせきにん》をなすり付《つ》けられる
人柱候補《ひとばしらこうほ》も選出《せんしゅつ》し直《なお》しでしょうか?
現在《げんざい》確認済《かくにんず》みなのはエルリック兄弟《きょうだい》
マルコー医師《いし》はどうだ
そろそろ…
キンブリーはどうです?
あれは扉《とびら》を開《ひら》くような神経《しんけい》は持《も》ち合《あ》わせとらんよ
飲《の》むかね?

結構《けっこう》です
毒《どく》は入《はい》っとらんよ
何故《なぜ》この状況《じょうきょう》で私《わたし》を生《い》かしておくのですか
君《きみ》の立場《たちば》を理解《りかい》させるためだ
……いつからですか
いつから軍《ぐん》は人造人間《ホムンクルス》に頭《こうべ》を垂《た》れたのですか
この国《くに》が生《う》まれた時《とき》から仕組《しく》まれていた事《こと》だよ

ずっと我々《われわれ》のあがきを見《み》てほくそ笑《え》んでいたのですか…
ヒューズ准将《じゅんしょう》の葬儀《そうぎ》で震《ふる》えていた貴方《あなた》の手《て》
あれは偽《いつわ》りだったのですか…！
たかが軍人《ぐんじん》ひとり死《し》んだくらいで誰《だれ》もかれも騒《さわ》ぎすぎだ
軍服《ぐんぷく》をまとった時《とき》からそれが死《し》に装束《しょうぞく》になる可能性《かのうせい》が高《たか》い事《こと》くらいわかっていただろうに
ヒューズ准将《じゅんしょう》の子《こ》…名《な》をなんと言《い》ったか…
葬儀《そうぎ》の最中《さいちゅう》にやかましい事《こと》この上《うえ》なかったな
実《じつ》に腹《はら》が立《た》ったよ

貴方《あなた》にも子供《こども》がいたはずだ
よくもそのような…!!
子供《こども》……
セリムか
…あれはよくできた子《こ》だ
尊敬《そんけい》すべき父親《ちちおや》が人造人間《ホムンクルス》だと知《し》ったらどうなるか…
脅《おど》しかね?
無駄《むだ》な事《こと》だ
あれは私《わたし》にとっての弱点《じゃくてん》にはなりえんよ

それよりも自身《じしん》の心配《しんぱい》をしたまえ
ロイ・マスタング大佐《たいさ》
がっ
がっ
がっ
おまえのご主人《しゅじん》迎《むか》えに来《こ》なかったなぁ

大丈夫《だいじょうぶ》かな
ホークアイ中尉《ちゅうい》……
べろ
べろ
べろ
べろ
べろ
べろ
何《なに》か
あったんじゃ…
フュリー曹長《そうちょう》！
なんですか？
人事局《じんじきょく》だってさ
え？

ホークアイ中尉《ちゅうい》!!
どうしたの曹長《そうちょう》
中尉《ちゅうい》がここにいると聞《き》いて……って
中尉《ちゅうい》こそどうしたんですかこんな所《ところ》で!
大佐《たいさ》が昨夜《さくや》から司令部《しれいぶ》に入《はい》って行《い》ったまま戻《もど》らないのよ
ええ!?
人《ひと》を遣《つか》って伝言《でんごん》は!?
無《な》いわ
……中尉《ちゅうい》
今朝《けさ》寮《りょう》に人事局《じんじきょく》の者《もの》が来《き》まして
自分《じぶん》………

南方司令部《なんぽうしれいぶ》勤務《きんむ》を言《い》い渡《わた》されました
なんですって!?
僕《ぼく》だけではありません
ブレダ少尉《しょうい》は西方司令部《せいほうしれいぶ》へ
ファルマン准尉《じゅんい》は北方司令部《ほっぽうしれいぶ》へ転任《てんにん》が決《き》まったそうです
……!!

中尉《ちゅうい》には話《はなし》が来《き》ましたか!?
私《わたし》はまだ何《なに》も…
ビッ
!
カッ
カッ
カッ
ホークアイ中尉《ちゅうい》だね?
人事局《じんじきょく》のヤコブレフだ
!
はい
人事局《じんじきょく》……!!
私《わたし》は大総統《だいそうとう》付《つ》き補佐《ほさ》のシュトルヒだ
受《う》け取《と》りたまえ

異動《いどう》…命令《めいれい》ですか?
そうだ
拝見《はいけん》します

これはっ…!!
なんですか
この
ありえない
人事《じんじ》は!!
断《ことわ》る事《こと》は
できんぞ
どこに
飛《と》ばされたんですか
中尉《ちゅうい》
………
リザ・ホークアイ
中尉《ちゅうい》を
明日《みょうじつ》より
中央《ちゅうおう》司令部《しれいぶ》…
中央《ちゅうおう》!!
よかった…

大総統《だいそうとう》付《つ》き補佐《ほさ》に…!!
——という訳《わけ》だ
悪《わる》いねマスタング大佐《たいさ》
ゴォン

あれ
この猫《ねこ》！
ゴウン ゴウン ゴウン
めずらしい
模様《もよう》だから
覚《おぼ》えてるよ
どこで
見《み》ましタ!?
昨日《きのう》の夕方《ゆうがた》
でかい鎧《よろい》が
連《つ》れて
歩《ある》いてたよな
うん
でかい
鎧《よろい》ですカ？
それだけじゃ
わからない
でス……
いや
あんなでかいの
滅多《めった》に
見《み》ないから
すぐわかるって
こーんな
一本角《いっぽんつの》でさ
はっ!!
もしや昨日《きのう》の
アレ!?
ははははははははは
なんかいた小さいの
うろおぼえ
何《なに》？
でかい鎧《よろい》？
さっき
あっちの
廃工場《はいこうじょう》あたりで
見《み》たぞ
だってよ
嬢《じょう》ちゃん
ガコー!
ガコー!
あんにゃろう!!

シャオメイを誘拐《ゆうかい》するなんテ……
許《ゆる》せません　あの鎧《よろい》!!
いタ!!
間違《まちが》いありませン！　あの鎧《よろい》でス!!
シャオメイみたいな可愛《かわい》い子《こ》をさらうなんて信《しん》じられなイ！
鬼《おに》！　悪魔《あくま》！　フンドシ!!

――ット！
!!
シャオ…
待《ま》て
あの太《ふと》い奴《やつ》…
確《たし》か
人造人間《ホムンクルス》と
呼《よ》ばれていた
人造人間《ホムンクルス》？
不死身《ふじみ》に近《ちか》い
再生力《さいせいりょく》を
持《も》っている
うかつに
手出《てだ》しできん

不死身だなんて願《ねが》ってもなイ!!
追《お》いかけましょウ!
うかつに手出《てだ》しできんと言《い》っただろう
簡単《かんたん》にいく相手《あいて》ではないぞ
虎穴《こけつ》に入らずんば虎児《こじ》を得《え》ずでス!!
シャオメイもあそこにいるのに何《なに》をためらう必要《ひつよう》があるのですカ!!
ダッ
む…
鋼《はがね》の錬金術師《れんきんじゅつし》の弟《おとうと》……
なぜあの人造人間《ホムンクルス》と一緒《いっしょ》にいる?
グルか?
カッ
カッ
コッ
カッ
やっと交替時間だよ
うーさむっ
最近冷えるなぁ
あー
傷の男のせいでえらい目にあった
帰って寝よう
カッ
ゴッ
カッ
カッ
カッ

オオ
オオ
オオ
オオ
地鳴《じな》りか……?
オオ
どうした?
いえ…ここ…変《へん》…
オオ
この国《くに》に入《はい》ってから違和感《いわかん》を感《かん》じていたのですがなんと言《い》うカ……
その感覚《かんかく》を表現《ひょうげん》しようが無《な》くテ…

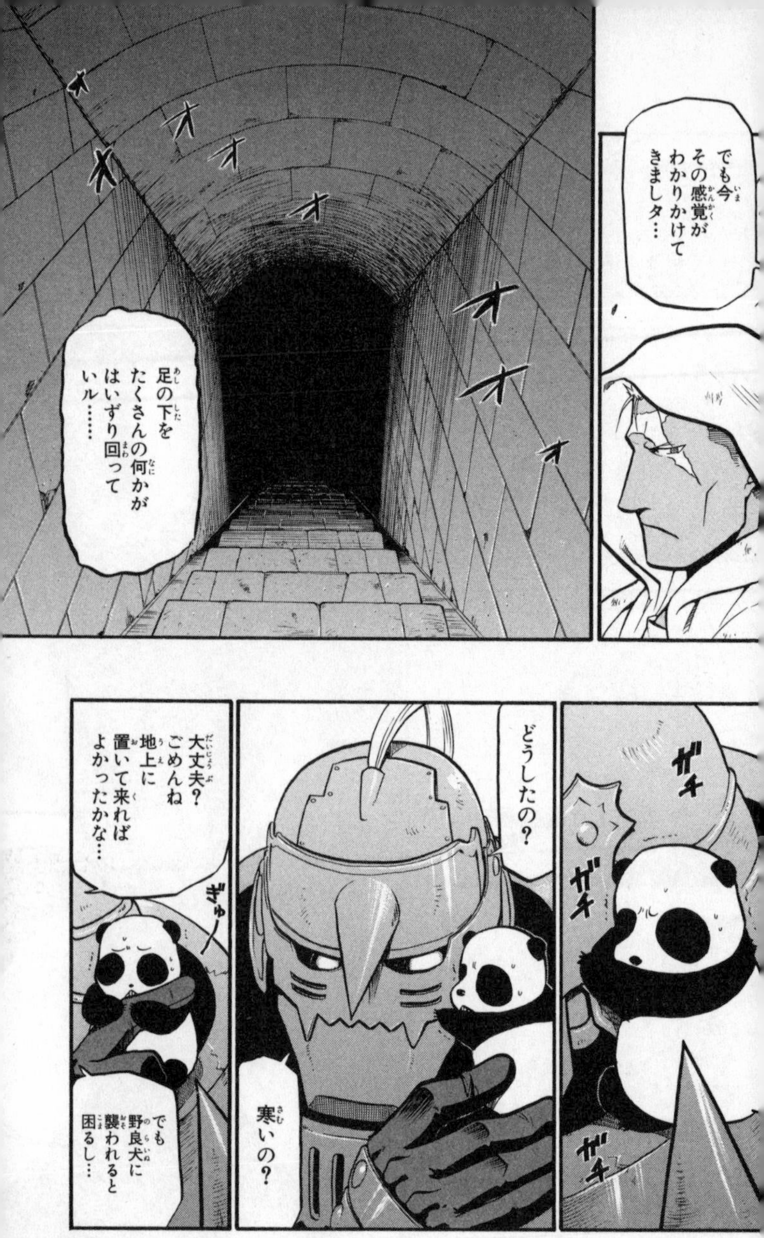
でも今《いま》
その感覚《かんかく》が
わかりかけて
きましタ…
オオオオオオオオオ
足《あし》の下《した》を
たくさんの何《なに》かが
はいずり回《まわ》って
いル……
ガチ
ガチ
ガチ
どうしたの？
寒《さむ》いの？
大丈夫《だいじょうぶ》？
ごめんね
地上《うえ》に
置《お》いて来《く》れば
よかったかな…
ぎゅー
でも
野良犬《のらいぬ》に
襲《おそ》われると
困《こま》るし…

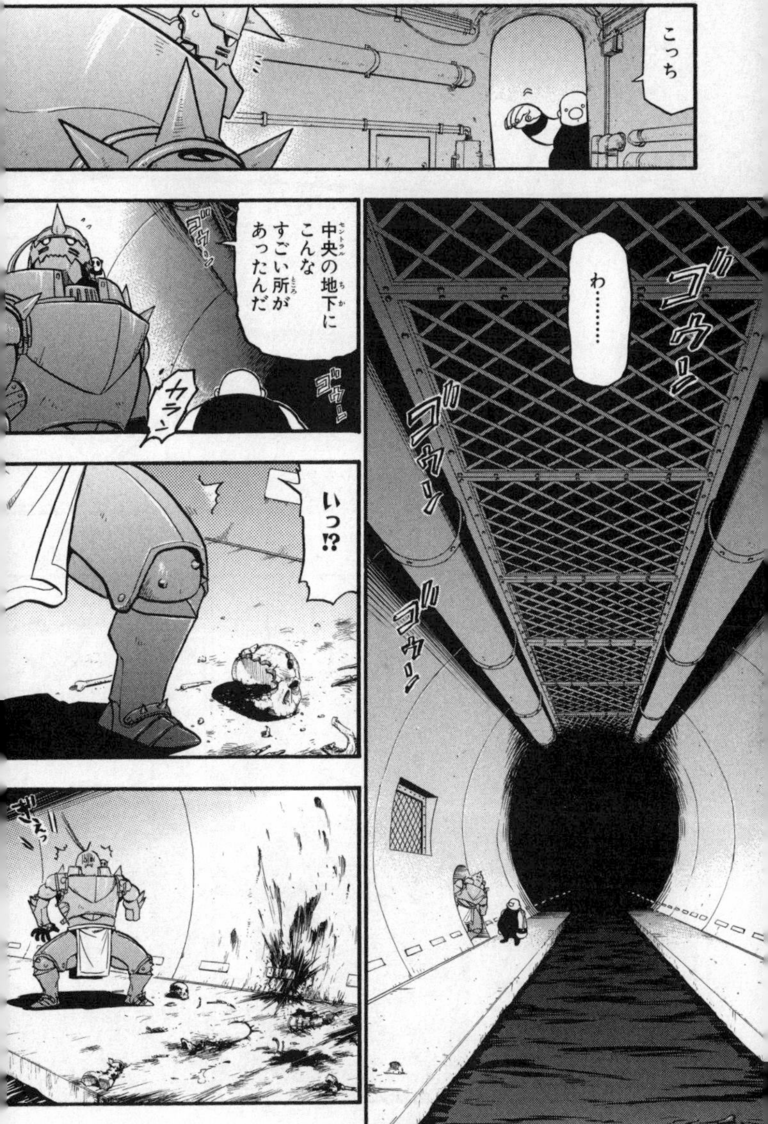
こっち
わ……
ゴウン
ゴウン
ゴウン
中央《セントラル》の地下《ちか》に
こんな
すごい所《とこ》が
あったんだ
ゴウン
ゴウン
カラン
いっ!?
ざえっ

なんだよ これ!
グラトニー ちょっと!!
あー?
門番《もんばん》のしわざだよ── 気《き》にしない──
門番《もんばん》!?
おでといれば 殺《ころ》されないよ
ぐるるるるる…
何《なに》か いるし……
ひくっ
目《め》を 合《あ》わせちゃ ダメだよ…
るるる…

お父様《とうさま》とやらの所《とこ》はまだまだ先《さき》?
まだまだ先《さき》だよー
その お父様《とうさま》なら 飲《の》まれた人達《ひとたち》の 行《い》き先《さき》を 知《し》ってるよね
たぶんねー
おとーさま もの知《し》り なんでも知《し》ってる
なんでも作《つく》れる
みんな作《つく》って もらった
おでも ラストも
エンヴィーも!
ボコーン
ずる…
ボチャン
きゃはははは
ママ…
ママ…
ゲラゲラゲラゲラ
出《だ》して ここから出《だ》して

オギャアオギャア
どうだ
ゲラゲラゲラ
見《み》ないで
オレを
わしを
見《み》るなよ
はははははすごい力《ちから》だ
私《わたし》を
誰《だれ》か
ズルッ
なんで
愉《ゆ》快《かい》だ
ちっとも愉《ゆ》快《かい》じゃねえっつの…
武器《ぶき》出《だ》せるカ?
任《まか》せろ

ドン
この血《ち》の海《うみ》だ
鉄分《てつぶん》に不足《ふそく》は無《な》いね
ズバ
趣味《しゅみ》わるっ…
ぐるる
るるる
闘《や》れるか？
ジャン
どうかナ
さっきので肋骨《ろっこつ》を二《に》、三本《さんぼん》やッタ
オレも似《に》たようなもんだ
正直《しょうじき》きついな
ダッ
ダッシュ!!

暗闇《くらやみ》に逃《に》げ込《こ》んで態勢《たいせい》立《た》て直《なお》しだ!!
!!
逃《に》がすか!!!
ガシ
ぬっ…!!

ガ…は!!
リン!!
ヤロッ…

殺《ころ》して
タスけて…
する
おねがい…
殺《ころ》して
おねが…
おごっ
ギャ
あーははははは
ママ…
死《し》にたい、
イヤダ
こっちに来い
私と

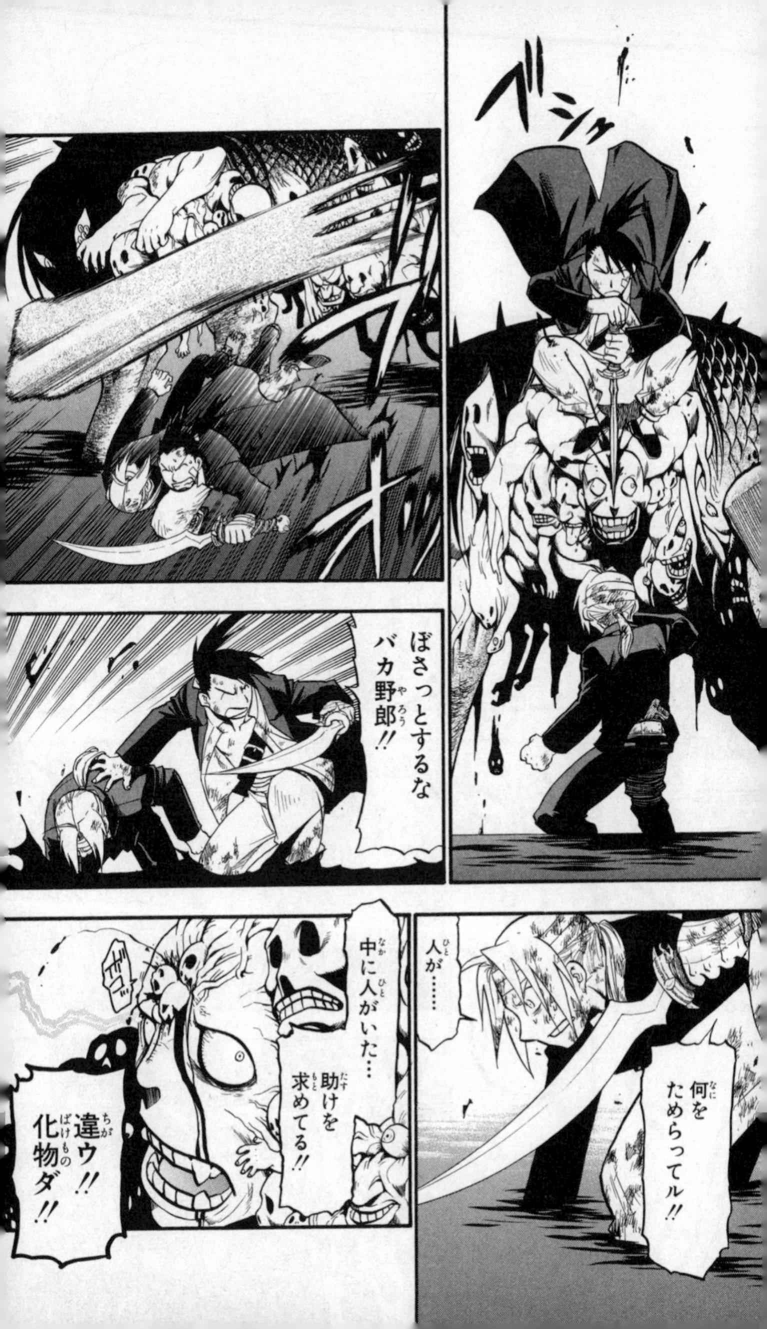
ぼさっとするな
バカ野郎《やろう》!!
人《ひと》が……
何《なに》をためらってル!!
中《なか》に人《ひと》がいた…
助《たす》けを求《もと》めてる!!
違《ちが》ウ!!
化物《ばけもの》ダ!!

割《わ》り切《き》レ!!
あれは化物《ばけもの》ダ!!
ボコ
ボコ
ボコッ
オギャア
オギャア
殺《ころ》せ
殺《ころ》せ
父《とう》さん
だレか
おかあさン
ゲラゲラ
ゲラゲラ
私《わたし》の子供《こども》返《かえ》して
オギャア
オギャア
私《わたし》を
見《み》るな
どうだ
この力《ちから》
貴様《きさま》モ来《こ》い
いやだ
うるさい!!
やめろ!!
闘《たたか》え
母さん
ママ
ママ
ミーちゃん
やめ……
ごぼう

あそぼうよ
お父《とう》さん
誰《だれ》か…
タすけて
…兄《にい》ちゃん
…ちゃん
お兄《にい》ちゃん
母さん
ママ
お姉ち
あそぼう
遊《あそ》びは終《お》わりだ

あ……
ちく…
ゴトッ
しょ……

ズゾゾァ
グシャ
ボト
ボトッ
たすけて
わかるまイ
この苦《くる》しみ
一緒《いっしょ》に
死《し》のウ
一緒《いっしょ》に生《い》きよう
きゃははははは
君《きみ》も
こっちへ来《こ》い
来《こ》い…!!
ゲラゲラゲラ
エド!!
起《お》きロ!!
目《め》を覚《さ》まセ!!

ドクン
エ…
ガはっ
ズキン
たすけて
おまエも我らと共に
殺して
ドクン
死にたくない…
一緒になろうよ
還りたい
すてきな身体ね
ずるいわ
ママ
ドクン
…なんだ？
赤《あか》い……石《いし》
そうか…
人造人間《エンヴィー》の核《かく》…
賢者《けんじゃ》の石《いし》だ…
ドクン

ドクン
ドクン
探《さが》してた…
こんな近《ちか》くにあるのにとどかないなんて
ドクン
左腕《ひだりうで》…完全《かんぜん》に折《お》れてるな
ドクン
ドクン…
ドクン

!?
出《だ》せ
エンヴィー!!
うえっぷ
ロン中《なか》
臭《くせ》えんだよ

てめ…この野郎《やろう》
出《だ》せっつってんだろが!!
ああ?
前歯《まえば》全部《ぜんぶ》へし折《お》るぞ!!
一緒《いっしょ》に
おマエも
うるっせぇ!!
私《わたし》ト……
なんで わかってくれないの
一緒《いっしょ》に死《し》のう
こいつら黙《だま》らせろ!!
この空間《くうかん》から出《で》られるかもしれねぇ!!
!!
協力《きょうりょく》しろエンヴィー!!

ぎゃ
ゴキン

ずいぶんと変《か》わった門番《もんばん》ですネ

合成獣《キメラ》という奴《やつ》だ
カッ
カッ
カッ
錬金術《れんきんじゅつ》が生《う》み出《だ》した悲《かな》しき生物《せいぶつ》よ
ズ…!
ドドドド
ドッ

ぐら…
ゴキン

キリが無《な》いな
下《した》……
いやダ…
下《した》……
やっぱり
何《なに》かいまス
まだ下《した》に
合成獣《キメラ》が
大量《たいりょう》にいるのか
やっかいだな
違《ちが》いまス

これハ…
人《ひと》……？
何《なに》やら騒々《そうぞう》しい
誰《だれ》か来《く》るな

ギュッ
いでっ…
応急処置《おうきゅうしょち》ダ
いや
十分助《じゅうぶんたす》かるよ
外《そと》に
出《で》られるって
本当《ほんとう》カ？
たぶんな
たぶんっテ…
これ見《み》ろ
クセルクセス遺跡《いせき》の
一部《いちぶ》だ

これがグラトニーの腹《はら》の中《なか》にあるって事《こと》はよ…
証拠隠滅《しょうこいんめつ》とちがうか？
てめぇらがクセルクセスで何《なに》をしたかだいたい読《よ》めてきたぜ
なぁエンヴィー！

第《だい》53話《わ》
魂《たましい》の道標《どうひょう》

本当《ほんとう》の親《おや》の名《な》も
顔《かお》も……
自身《じしん》の名《な》すらも
覚《おぼ》えていない
いや……名《な》を
付《つ》けられる前《まえ》に
捨《す》てられたか
買《か》われたか――
ただ
物心《ものごころ》ついた時《とき》から
白衣《はくい》をまとう者達《ものたち》に
見守《みまも》られていたのは
覚《おぼ》えている
この国《くに》を
背負《せお》って立《た》つのは
誰《だれ》かな？
君《きみ》かな？
「●●●●●」
「大総統候補《だいそうとうこうほ》」
それが
自身《じしん》の名《な》の
代《か》わりだった
我々《われわれ》大総統候補《だいそうとうこうほ》は
一《いっ》か所《しょ》に集《あつ》められ
様々《さまざま》な教育《きょういく》を受《う》けた

剣術《けんじゅつ》・銃術《じゅうじゅつ》・
軍隊格闘《ぐんたいかくとう》
あるいは
帝王学《ていおうがく》・人間学《にんげんがく》
……
自分《じぶん》がこの国《くに》を
動《うご》かす人物《じんぶつ》になる
そう信《しん》じ
どんな訓練《くんれん》にも
耐《た》え……
やがて
体力《たいりょく》・精神力《せいしんりょく》とともに
充実《じゅうじつ》する年齢《ねんれい》に
達《たっ》した頃《ころ》——
この者《もの》も
だめでした
……
びちっ
次《つぎ》だ
次《つぎ》は
「●●●●●」です

連《つ》れて来《こ》い
そこに横《よこ》になって
あの これは…
楽《らく》にして
ギュッ
!!

何《なに》をする気《き》ですか!!
あの死体《したい》は……
どうだ素晴《すば》らしいだろう
賢者《けんじゃ》の石《いし》だよ
見《み》るのは初《はじ》めてだろう?
君《きみ》で12人目《にんめ》だ
我《わ》が「憤怒《ふんど》」を受《う》け入《い》れるのは君《きみ》か?
はたまた別《べつ》の誰《だれ》かか?
う……

ぎゃあああああぁぁ
賢者《けんじゃ》の石《いし》は他人《たにん》の魂《たましい》が多数《たすう》含《ふく》まれている高《こう》エネルギー体《たい》だ
生身《なまみ》の人間《にんげん》の血液《けつえき》に入《い》れられると肉体《にくたい》の持《も》ち主《ぬし》との拒絶反応《きょぜつはんのう》で暴《あば》れまわり
その肉体《にくたい》を乗《の》っ取《と》ろうとする
私《わたし》以外《いがい》の大総統候補《だいそうとうこうほ》は生身《なまみ》の肉体《にくたい》を破壊《はかい》され無残《むざん》な死《し》を遂《と》げた
私《わたし》は体内《たいない》の賢者《けんじゃ》の石《いし》と闘《たたか》いのたうち回《まわ》り死線《しせん》をさまよった
私《わたし》の身体《からだ》は石《いし》による破壊《はかい》と石《いし》による補修《ほしゅう》をくり返《かえ》した
元《もと》の身体《からだ》が完全《かんぜん》に死《し》ぬか賢者《けんじゃ》の石《いし》に打《う》ち克《か》つか…
地獄《じごく》の終《お》わりはそのどちらかだったのだ
やがて――
素晴《すば》らしい！

我々《われわれ》は世紀《せいき》の瞬間《しゅんかん》に立《た》ち会《あ》えた！
ここに新《あら》たな人類《じんるい》が誕生《たんじょう》したのだ！
おめでとう！君《きみ》は選《えら》ばれたのだ！
この国《くに》を次《つぎ》の段階《だんかい》へと導《みちび》くリーダーに!!
なぁに心配《しんぱい》する事《こと》はない！
あとの事《こと》はあのお方《かた》に任《まか》せておけば良《よ》い！
経歴《けいれき》も財産《ざいさん》も家族《かぞく》も友達《ともだち》もなんでも用意《ようい》してくれるだろう！
そうだ！この国《くに》のリーダーにふさわしい名《な》を付《つ》けねばならんな！
君《きみ》の名《な》は今日《きょう》から――
キング・ブラッドレイ
名《な》も無《な》き実験体《じっけんたい》の左目《ひだりめ》は腐《くさ》り落《お》ちたが人《ひと》を超《こ》えた能力《のうりょく》を身《み》につけ身体《からだ》の保持《ほじ》に成功《せいこう》した

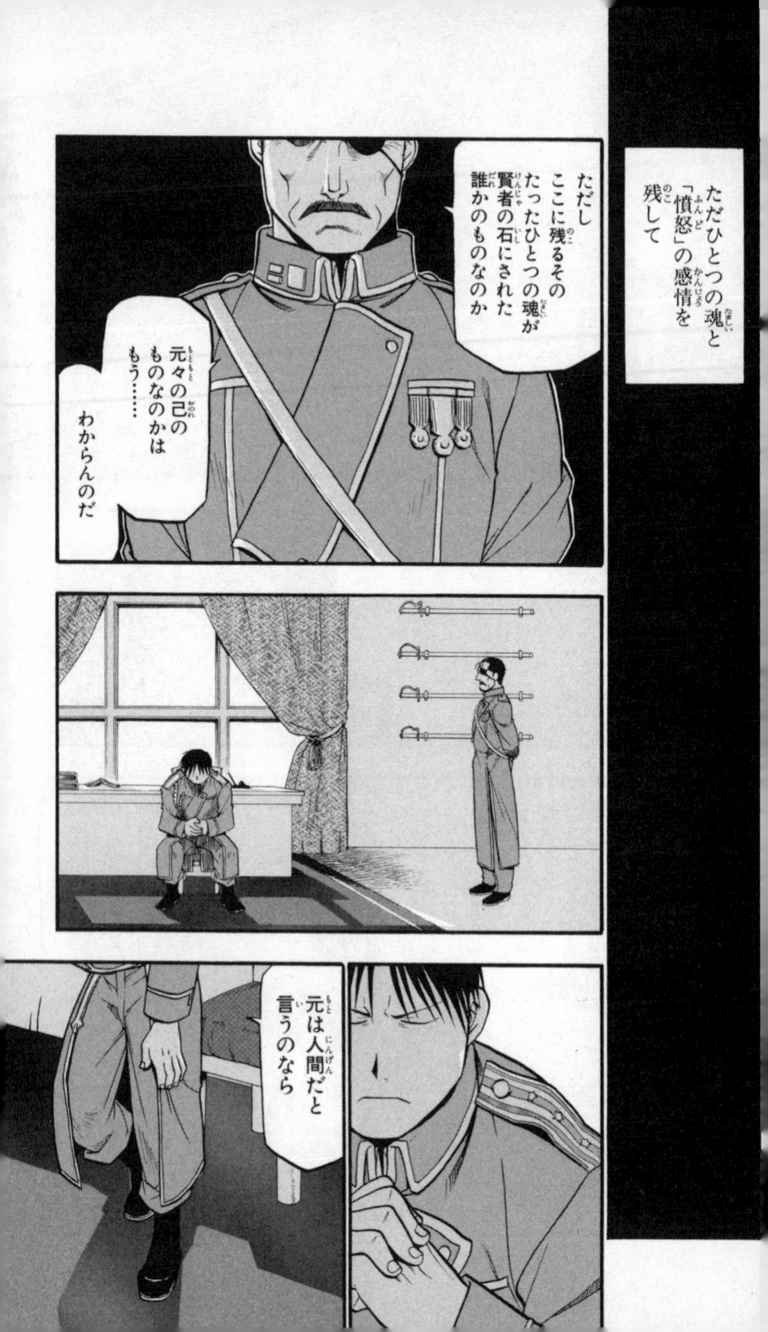
ただひとつの魂《たましい》と「憤怒《ふんど》」の感情《かんじょう》を残《のこ》して
ただし ここに残《のこ》るその たったひとつの魂《たましい》が 賢者《けんじゃ》の石《いし》にされた 誰《だれ》かのものなのか
元々《もともと》の己《おのれ》の ものなのかは もう…… わからんのだ
元《もと》は人間《にんげん》だと 言《い》うのなら

人造人間《ホムンクルス》としてではなく人間《にんげん》として生《い》きる事《こと》はできないのですか
閣下《かっか》
私《わたし》に人間《にんげん》に戻《もど》れと？
無理《むり》だな 我々《われわれ》は君達《きみたち》とは違《ちが》う
この眼《め》と身体能力《しんたいのうりょく》は人間《にんげん》を超越《ちょうえつ》した
目的《もくてき》を持《も》って造《つく》られた君達《きみたち》より優《すぐ》れた品種《ひんしゅ》だ
君達人間《きみたちにんげん》が人間《にんげん》である事《こと》に誇《ほこ》りを持《も》っているように我々《われわれ》にも人造人間《ホムンクルス》としての矜持《プライド》がある

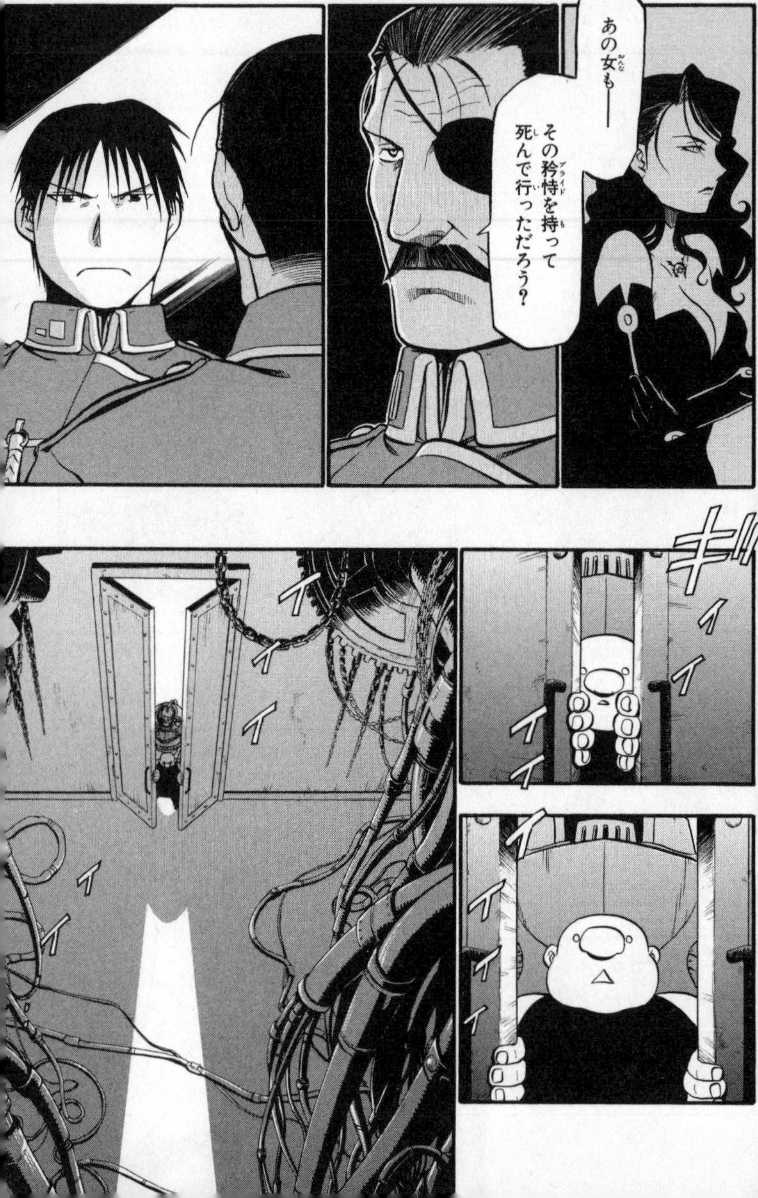
あの女《おんな》も——
その矜持《プライド》を持《も》って死《し》んで行《い》っただろう?
ギィィィィ
ィィィィ

うわぁ…
気味《きみ》悪《わる》い所《ところ》に来《き》ちゃったなぁ…
おとーさま！人柱《ひとばしら》！
人柱《ひとばしら》つれてきた！
びくっ!!
お父様《とうさま》って
早《はや》っ！心《こころ》の準備《じゅんび》が…
誰《だれ》だ
あっ…
あのっ……

父《とう》……さん？
ぬ？
ドゴーン

この辺《へん》にあるのは全部《ぜんぶ》集《あつ》めたよ
これみんなクセルクセス遺跡《いせき》の物《もの》カ？
ああ
遺跡《いせき》の神殿《しんでん》にあった大壁画《だいへきが》の物《もの》だ
初《はじ》めてこれを見《み》た時《とき》第五研究所地下《だいごけんきゅうじょちか》の賢者《けんじゃ》の石錬成陣《いしれんせいじん》と同類《どうるい》かと思《おも》った
だが違《ちが》う

太陽《たいよう》は「魂《たましい》」
月《つき》は「精神《せいしん》」を表《あらわ》す錬金術記号《れんきんじゅつきごう》だ
「肉体《にくたい》」を表《あらわ》す記号《きごう》は石《いし》……
これは壁画《へきが》そのもので…
おいおいなに黙《だま》りこんでんだョ
いやこの壁《かべ》の全体像《ぜんたいぞう》な
人体錬成《じんたいれんせい》の陣《じん》だ
ハ？
しかも陣《じん》を形作《かたちづく》る基礎《きそ》がな当《あ》たり前《まえ》の人間《にんげん》を表《あらわ》してる
アタリマエ…
――で閃《ひらめ》いたんだが

生《い》きた人間《にんげん》を人体錬成《じんたいれんせい》し直《なお》すってのはどうだ？
死《し》んだ人間《にんげん》の人体錬成《じんたいれんせい》は不可能《ふかのう》だ
……
無《な》いものねだりで代価《だいか》を払《はら》わされたあげく錬成《れんせい》された者《もの》は正《ただ》しい人《ひと》の形《かたち》を成《な》す事《こと》も許《ゆる》されない
だが今《いま》ここに生《い》きてる人間《にんげん》を……
オレがオレを錬成《れんせい》するのはどうだ？
すでに在《あ》るものをそのまま錬成《れんせい》し直《なお》ス？
ゴホッ
そう
たとえば水《みず》を鉄《てつ》に鉄《てつ》を水《みず》にってな具合《ぐあい》にだ
しかも「人体錬成《じんたいれんせい》」だ
扉《とびら》が開《ひら》く可能性《かのうせい》は高《たか》い

グラトニー《こいつ》が偽《いつわ》りの真理《しんり》の扉《とびら》だと言《い》うのなら正《ただ》しい扉《とびら》をくぐれば正《ただ》しい空間《くうかん》に出《で》られるんじゃないだろうか
オレが扉《とびら》を開《あ》ける
おまえらはそこに飛《と》び込《こ》む
失敗《しっぱい》したらどうなる?
リバウンドだ
術《じゅつ》の失敗《しっぱい》は行使《こうし》した者《もの》に全《すべ》てはね返《かえ》る
この場合《ばあい》オレに…
な
俺《おれ》は錬金術《れんきんじゅつ》に関《かん》しては門外漢《もんがいかん》ダ
全《すべ》て任《まか》せよウ
で
エンヴィーにはここ出《で》る前《まえ》に訊《き》きたい事《こと》があるんだけどよ
なんだ?

ザザッ
ザッ
オレが見《み》たクセルクセスの大壁画《だいへきが》
ざっとこんな感《かん》じだ
二頭《にとう》の竜《りゅう》の頭上《ずじょう》に描《えが》かれていたのは神《かみ》を表《あらわ》す文字《もじ》を上下《じょうげ》ひっくり返《かえ》したもの
スッ
上下逆《じょうげさか》さ…すなわち神《かみ》を地《ち》に墜《お》とし め…
自《みずか》らのものとする
出来上《できあ》がるのは交《まじ》わる雄《おす》と雌《めす》の竜《りゅう》
雌雄同体《しゆうどうたい》は“完全《かんぜん》なる存在《そんざい》”を示《しめ》す錬金術《れんきんじゅつ》の比喩表現《ひゆひょうげん》だ

神《かみ》を地《ち》に墜《お》とス？
人間《にんげん》ごときがずいぶん大《だい》それた事《こと》を考《かん》えるものだナ
ただ考《かん》えただけならいい
問題《もんだい》は…
これだ
太陽《たいよう》を飲《の》み込《こ》む獅子《しし》の図《ず》
これは賢者《けんじゃ》の石《いし》を示《しめ》す記号《きごう》
賢者《けんじゃ》の石《いし》の材料《ざいりょう》は生《い》きた人間《にんげん》…
そうだなエンヴィー
そうだよ
以前《いぜん》クセルクセス遺跡《いせき》に行《い》ったがあれ程《ほど》の技術《ぎじゅつ》を持《も》った国《くに》が一夜《いちや》で滅《ほろ》ぶなんて考《かん》えられなかった
正確《せいかく》には生《い》きた人間《にんげん》から魂《たましい》だけを抽出《ちゅうしゅつ》し凝縮《ぎょうしゅく》した高《こう》エネルギー体《たい》だ
精神《せいしん》や肉体《にくたい》は残《のこ》りカスにすぎない
移民《いみん》として他国《たこく》に行《い》ったって話《はなし》も無《な》いしな

おまえらよぉ
クセルクセス国民《こくみん》全員《ぜんいん》
賢者《けんじゃ》の石《いし》にしちまったな?
自身《じしん》を人体錬成《じんたいれんせい》したのは誰《だれ》だ?
その際《さい》国民全《こくみんすべ》てを巻《ま》き込《こ》んで
強大《きょうだい》な賢者《けんじゃ》の石《いし》という付加価値《ふかかち》を己《おのれ》につけて
神《かみ》をも超《こ》える存在《そんざい》になろうとしたのは何者《なにもの》だ!?
おまえの言《い》う「お父様《とうさま》」か!?

そいつはおまえら人造人間《ホムンクルス》を暗躍《あんやく》させて
この国《くに》でクセルクセス滅亡《めつぼう》の再現《さいげん》をやろうとしてるんじゃないのか？
にいいいいい…
ここから出《で》られたら教《おし》えてやるよ
まわりくどい話《はなし》はやめようよ鋼《はがね》の錬金術師《れんきんじゅつし》
おまえが今《いま》欲《ほ》しいのはまさしくこれだろ？
ガぱっ

扉《とびら》をくぐるなら通行料《つうこうりょう》が必要《ひつよう》だと言《い》うじゃないか
使《つか》えよ
さあ
さっさと元《もと》の世界《せかい》へ戻《もど》ろうじゃないか
たすけて
殺して
見ないで
誰か
身体をください
これみんな
クセルクセス人《じん》なんだな?
ちっ
何《なに》を今《いま》さらためらってんだよ
おまえさぁ南《みなみ》でグリードと闘《や》りあったって言《い》うじゃないか
けっこうボコったんだろ?奴《やつ》をさぁ
もう気付《きづ》いてんだろ?
その時《とき》の再生《さいせい》にも石《いし》のエネルギーが使《つか》われてたって

同情《どうじょう》なんていらないんだよ
おまえの弟《おとうと》も今《いま》は魂《たましい》だけの存在《そんざい》だってな?
その弟《おとうと》を人間《にんげん》と認《みと》めたいから似《に》たようなこいつらも人間《にんげん》だと思《おも》いたいだけだ
子供騙《こどもだま》しの感情《かんじょう》だ
貴様《きさま》ら下等生物《かとうせいぶつ》に同情《どうじょう》されるなんて虫酸《むしず》が走《はし》る!!
もう…
この人達《ひとたち》の身体《からだ》は無《な》いのか?
肉体《にくたい》も精神《せいしん》もとっくにクセルクセスで朽《く》ち果《は》てた
ははははは
ママ…ママ…
見ないで
痛いよ
返してくれ
たすけて
私を
戻《もど》るべき肉体《にくたい》を失《うしな》って自分《じぶん》がどんな姿《すがた》だったかも忘《わす》れて
あとはエネルギーとして消費《しょうひ》されるだけの存在《そんざい》さ
誰か

感情《かんじょう》じゃなく理屈《りくつ》で人間《にんげん》の定義《ていぎ》に線《せん》を引《ひ》けよ錬金術師《れんきんじゅつし》
こいつらが人間《にんげん》とよべるものへと還《かえ》る術《すべ》はもう無《な》いんだから
…よし
リン
オレにもしもの事《こと》があったらこいつらがこの国《くに》使《つか》ってろくでもねぇ事《こと》考《かんが》えてるって外《そと》の奴《やつ》らに伝《つた》えてくれ
エ〜〜〜〜？アメストリスはオレの国《くに》じゃないからなァ
ひゃ
ひゃ
うひゃひゃ
この先《さき》どうなっても知《し》った事《こと》じゃないしィ〜〜〜
おめーな………

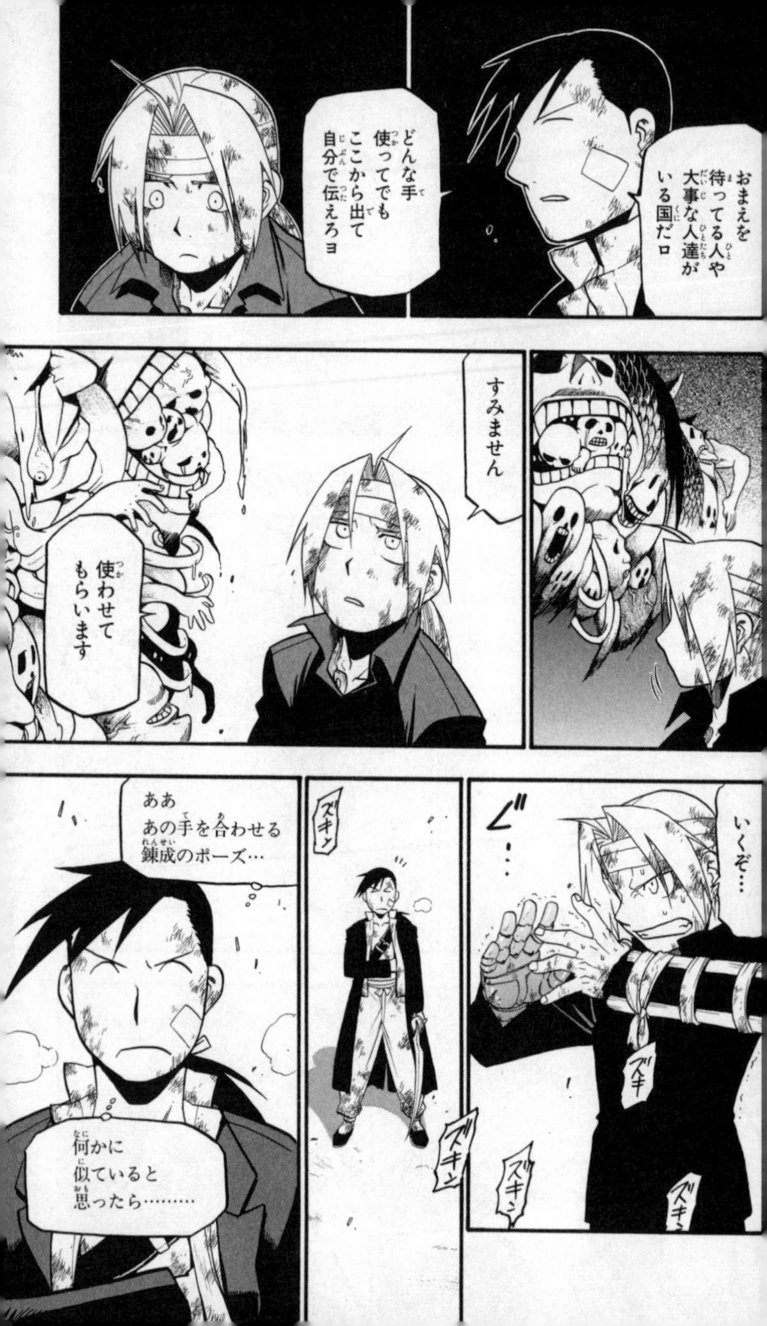

おまえを
待《ま》ってる人《ひと》や
大事《だいじ》な人達《ひとたち》が
いる国《くに》だロ
どんな手《て》
使《つか》ってでも
ここから出《で》て
自分《じぶん》で伝《つた》えろヨ
すみません
使《つか》わせて
もらいます
いくぞ…
ズキ
ズキン
ズキン
ズキン
ズキン
ああ
あの手《て》を合《あ》わせる
錬成《れんせい》のポーズ…
何《なに》かに
似《に》ていると
思《おも》ったら………

パン
まるで神《かみ》への祈《いの》りじゃないか
ドン
ザワ
ザワ
ザワ
ザワ
ザワ
ザワ
久《ひさ》しぶりだな

こんな形《かたち》で また開《あ》ける事《こと》に なるなんて
リン！ 飛《と》び込《こ》め!!
…信用《しんよう》してるぞ 錬金術師《れんきんじゅつし》！
うおっ!?
グラトニーに 飲《の》まれた時《とき》と 同《おな》じ感覚《かんかく》……

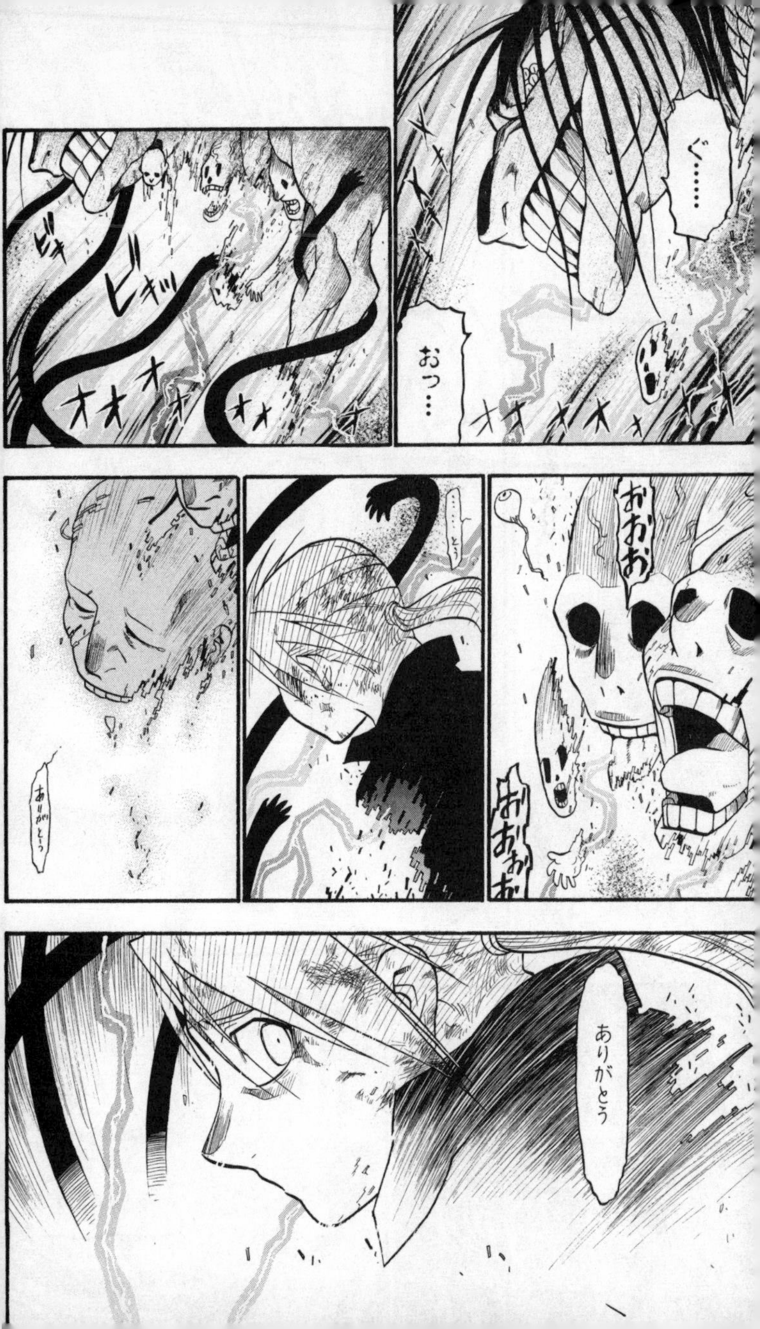
ぐ……
おっ…
オォォォォ
ビキ
ビキッ
オオオ
オオ
おおお
おおおお
……とう
ありがとう
ありがとう

……!!
肉体《にくたい》と魂は
精神《せいしん》によって
つながっている
オレの
肉体《にくたい》の一部《いちぶ》は
真理《しんり》の扉《とびら》の前《まえ》に
ある

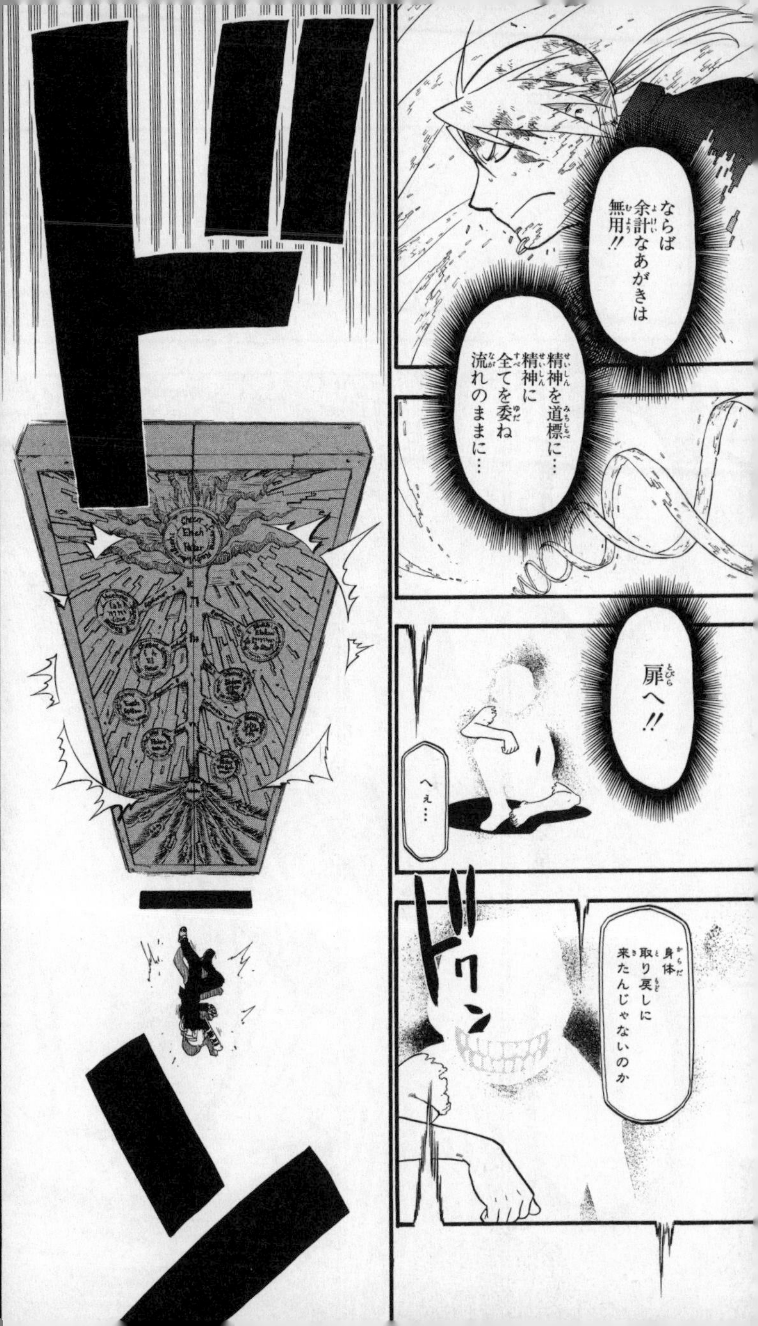
ならば
余計《よけい》なあがきは
無用《むよう》!!
精神《せいしん》を道標《みちしるべ》に…
精神《せいしん》に
全《すべ》てを委《ゆだ》ね
流《なが》れのままに…
扉《とびら》へ!!
へぇ…
ドクン
身体《からだ》
取《と》り戻《もど》しに
来《き》たんじゃないのか
ドン

あいでっ…
…っ〜〜…
……よし
来《き》たぞ……
…!?
……なんで
扉《とびら》が ふたつ あるんだ…?

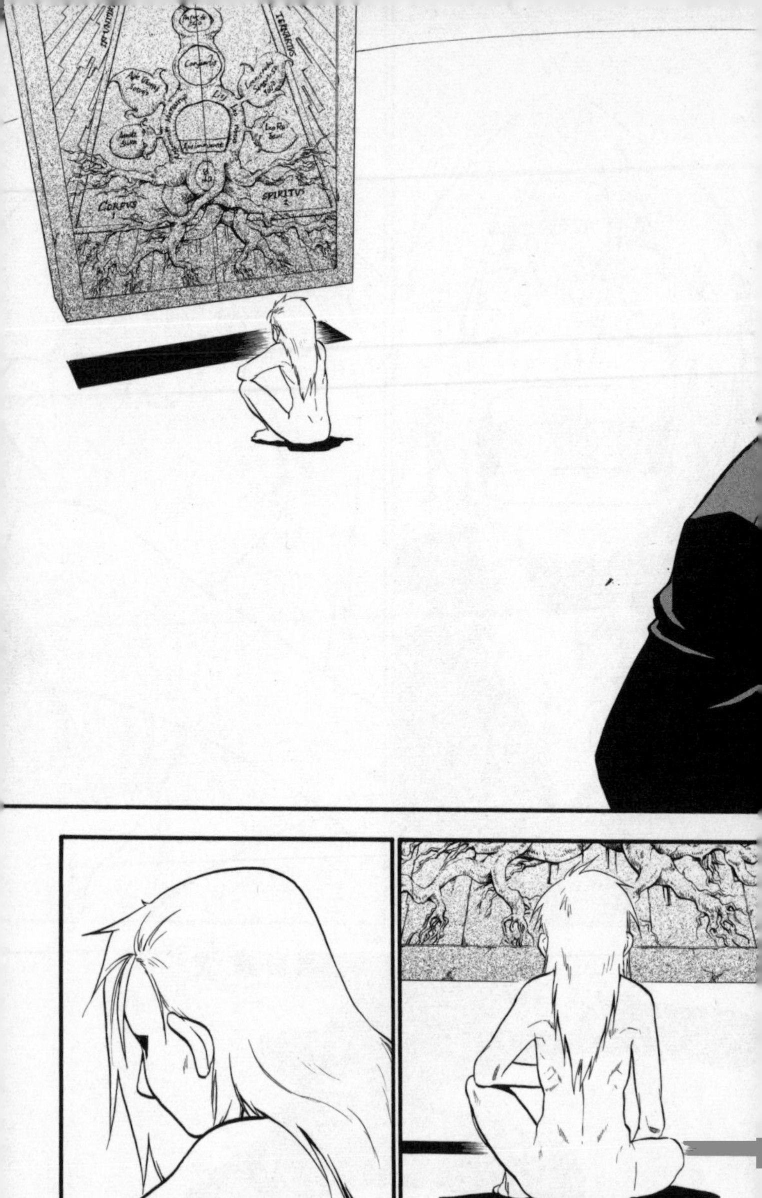
TERMINATUS
CORPUS
SPIRITUS

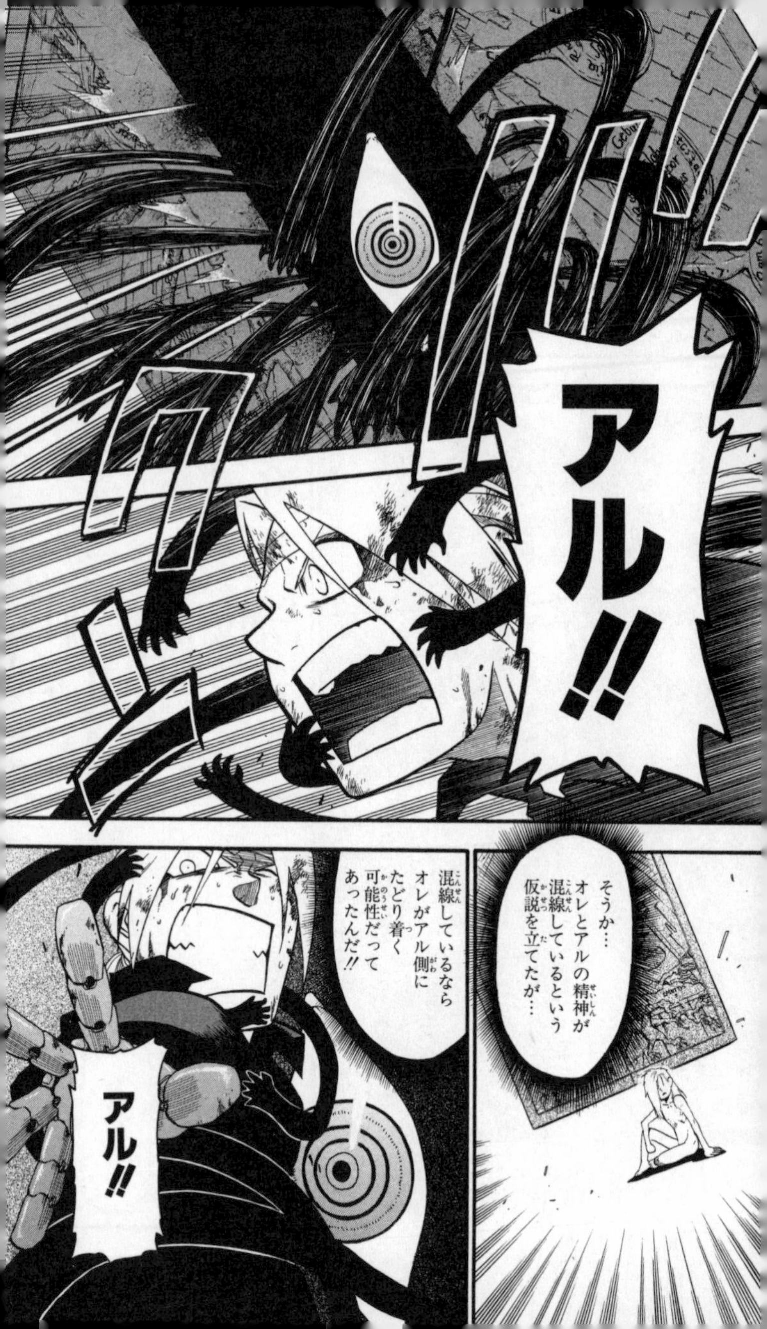
アル!!
そうか…オレとアルの精神《せいしん》が混線《こんせん》しているという仮説《かせつ》を立《た》てたが…
混線《こんせん》しているならオレがアル側《がわ》にたどり着《つ》く可能性《かのうせい》だってあったんだ!!
アル!!

ギギギ
アル!!
来《こ》い!!
早《はや》く!!
ギギギ
君《きみ》は
ボクの魂《たましい》じゃない
だめだよ

一緒《いっしょ》に行《い》けない
……っっ
つく…っ
……そおおっおおおおおおおお!!
アルフォンス!!
いつか…必《かなら》ず迎《むか》えに来《く》るぞ!!

待《ま》ってろ……!!
え…?

……あれ？
ブジャッ
ゴキゴキ
ブルブル
ブル
ボコボコ
ボコッ
ベキベキ
ベキ
い……
ドクン
ぎいいいいい
いあああああ

ベギ
キ
ベキ
ベキ
ベキ
ベギ
キ

ぐう……
エンヴィー？
エンヴィー!?
あれが!?

!!
兄《にい》っ…
兄《にい》さん!!
アル…?
鎧《よろい》の…
…てことは
ゴホッ
戻《もど》れたナ

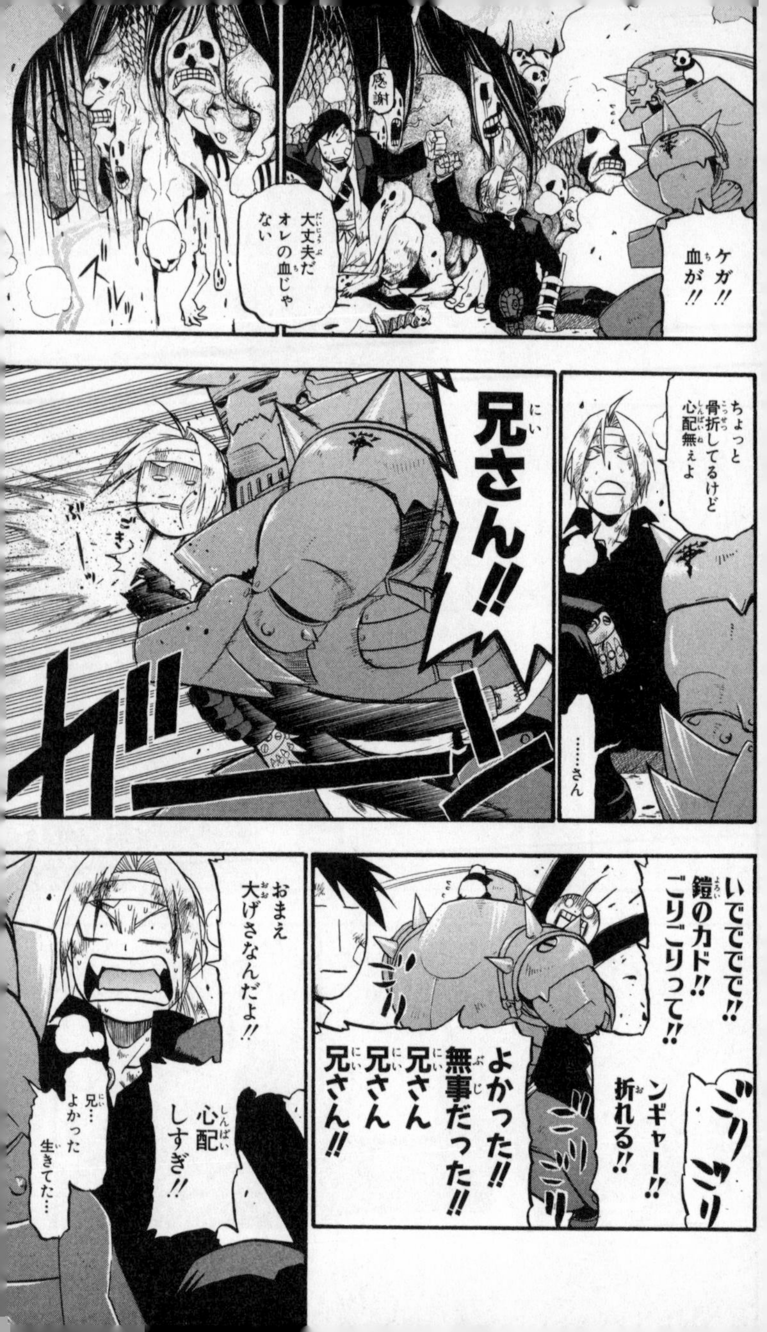
ケガ!!
血《ち》が!!
感謝
大丈夫《だいじょうぶ》だ
オレの血《ち》じゃない
ズルッ
ちょっと骨折《こっせつ》してるけど心配《しんぱい》無《ね》ぇよ
……さん
兄《にい》さん!!
ごき
ぶーッ
いでででで!!
鎧《よろい》のカド!!
ごりごりって!!
ゴリゴリ
ンギャー!!
折《お》れる!!
よかった!!
無事《ぶじ》だった!!
兄《にい》さん
兄《にい》さん
兄《にい》さん!!
おまえ大《おお》げさなんだよ!!
心配《しんぱい》しすぎ!!
兄《にい》…
よかった
生《い》きてた…

生《い》きてた…
アル…
アル…
アルフォンス!!
助《たす》けて…
誰《だれ》か…
母《かあ》さん…
そうだ…
身内《みうち》を全《すべ》て失《うしな》って
一人《ひとり》取《と》り残《のこ》される
恐怖《きょうふ》と絶望《ぜつぼう》を
オレは
知《し》ってるじゃないか
ぐい
悪《わり》ィ
グシャ
心配《しんぱい》かけた

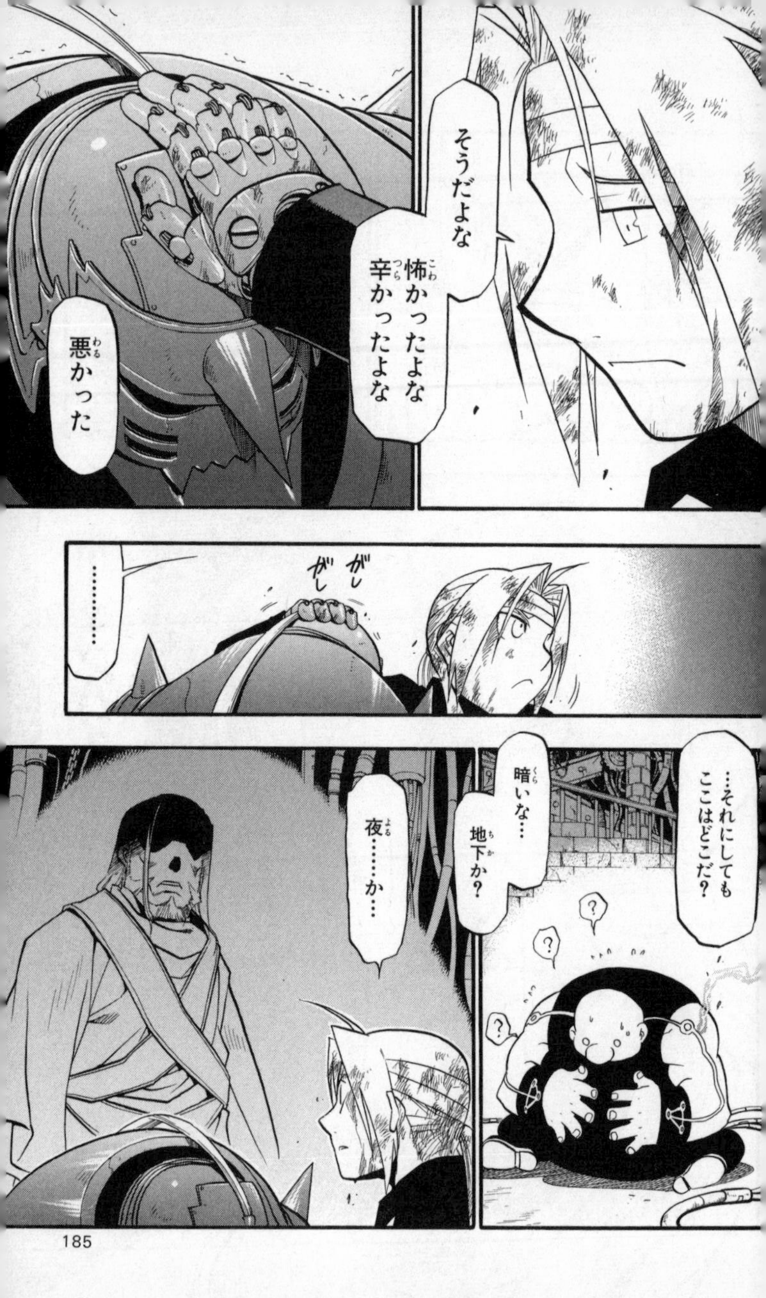

そうだよな
怖《こわ》かったよな
辛《つら》かったよな
悪《わる》かった
がし
がし
………
…それにしても
ここはどこだ？
暗《くら》いな…
地下《ちか》か？
？
？
？
夜《よる》……か…

これは驚《おどろ》いた
ホーエンハイム…？
鋼の錬金術師⑬　おわり

鋼の錬金術師 13
すぺしゃるさんくす～

高枝 景水 さん
ひのでや三吉 つぁん
杜康 潤 さん
あいやーぼーる さん
のの さん
上遠野 洋一 兄ィ
水谷 麻志 さん
浅葱 ヨウコ さん
杉山 りか さん

担当 下村 裕一 氏

AND YOU!!

黄金狂時代

撃《う》つな エド!!
俺《おれ》は これでいイ
手《て》を 出《だ》すナ…!!
力《ちから》が欲《ほ》しい…
手《て》に入《い》れるため
守《まも》るため
維持《いじ》するために
絶対的《ぜったいてき》な力《ちから》が必要《ひつよう》だ…!
シン国皇子《こくおうじ》リンの想《おも》いが
新《あら》たな罪《つみ》を生《う》む。

望《のぞ》んだのは、新《あら》たな罪《つみ》。
Fullmetal Alchemist
The announcement of new book
予告《よこく》
14 HAGANE no RENKINJUTSUSHI
第《だい》14巻《かん》
鋼《はがね》の錬《れん》金《きん》術《じゅつ》師《し》
2006年《ねん》7月《がつ》発《はつ》売《ばい》予《よ》定《てい》!!
乞《こ》うご期《き》待《たい》!!

ガンガンコミックス

鋼の錬金術師《はがねのれんきんじゅつし》
FULLMETAL ALCHEMIST

鋼の錬金術師 13

2006年4月22日
初版

著　者　　荒川 弘

発行人
田口浩司
発行所
株式会社スクウェア・エニックス

〒151-8544　東京都渋谷区代々木3-22-7　新宿文化クイントビル3階
〈内容についてのお問い合わせ〉　TEL 03(5333)0835
〈販売・営業に関するお問い合わせ〉　TEL 03(5333)0832
FAX 03(5352)6464

印刷所　図書印刷株式会社

ISBN4-7575-1638-X C9979